CC 59372084969289

FRAGMENTOS DE UN CRISTAL
VIVIR AL LADO DE UN ADICTO

Karina Rodríguez Mayorga

Karina Rodríguez Mayorga - YouTube

Facebook - **Fragmentos de un Cristal**

PRÓLOGO

El enamorarnos tiene muchas consecuencias. Damos el corazón. Damos nuestra vida por la otra persona, se sueña con el príncipe azul y esperamos que sea de novela: tierno, amoroso, que nos traten como una se merece, pero las cosas no salen como una espera. El sueño solo es un sueño y se derrumba como un castillo de arena. Viene un viento fuerte y destruye todo a su paso: los sueños forjados, nuestras ilusiones, nuestro amor propio y aún más el amor a nuestro esposo, ese hombre que una vez llenó nuestros corazones de amor e ilusión. Todo terminó por malas decisiones por tomar el camino fácil para entrar en un vacío donde no hay salida si no se quiere.

Esta es la historia de un amor que fue derrumbado por las adicciones y caminos sin retorno.

Se enfoca en los daños que causan las drogas tanto a quien las consume como a la familia que comparte con él.

Es una historia de adicciones en la familia…

Muestra el ambiente de una persona que incluye las diferentes influencias de su familia y amigos hasta el estado económico y su calidad de vida en general.

En la vida pasas varias etapas, varias vivencias.

¿Por qué hablo de esta vivencia en particular? Porque fue una etapa que marcó mi vida.

Dejando fragmentos de dolor por un cristal…

EL MAÑANA

Si alguien se queda en tu pasado es porque no encajaba en tu futuro.

Cada persona que pasa por nuestra vida es única. Siempre deja un poco de sí y se lleva un poco de nosotros. Habrá los que lleven mucho pero no habrá quien no deje nada. Esto es la prueba evidente de que dos almas no se encuentran por casualidad.

Te vas a encontrar con personas a las que quieras o no vas a acabar perdiendo. Evidentemente habrá unas que te duelan más que otras, unas quizás vuelvan, otros ya no.

Y solo el tiempo te hará comprender que si alguna de esas personas se queda en tu pasado es porque no encajan en tu futuro.

Quizás hoy no entiendas nada, pero el mañana te dará todas las respuestas que hoy no sabe darte.

No obligues a nadie a que permanezca a tu lado. Quien insista en quedarse es quien realmente vale la pena tener cerca.

(Autor desconocido).

PRIMERA PARTE

Si pudiéramos descifrar nuestros sueños al dormir, saber cuál es la realidad o cuál no, no sé si esto bastaría para poder tomar decisiones al tener un sueño con la persona que amas, verlo en malos pasos o soñar que está durmiendo en la calle, soñar que ese es su futuro.

¿Cómo saber si es premonición?

¿Qué haría una?

Yo no le presté atención a mis sueños, sueños que se hicieron realidad.

Tomando malas decisiones, poniendo en peligro a los seres más queridos, que fueron nuestros hijos.

Toda historia empieza por el comienzo.

Capítulo 1. EL NOVIAZGO

Tengo 35 años y por más que pienso en qué año se marcó mi vida para dar una vuelta de 180 grados, sería en el 2008. En ese entonces tenía 25 años. Tomé la decisión más alocada, cansada de batallar en México haciendo de lo que sea y huyendo de un exnovio al cual quise mucho. Por cosas del destino no funcionó, yo no encontraba paz en mi interior, ya no encontraba mi camino. Mi mamá se encontraba en California. Un día desperté tomando la decisión de irme de México para empezar de cero, para reencontrarme como persona, al igual de reencontrarme con mi familia y estar al lado de mi mamá. Emprendí el camino a California.

En Los Ángeles la vida no es fácil, uno batalla para salir adelante, las puertas se abren y siempre hay posibilidades. Encontré un trabajo en venta de productos de limpieza. En la entrevista te bajan la luna y las estrellas; creí que era muy buena oportunidad donde te prometían tener tu propio negocio y de mejores ingresos. El pago era por comisiones. Una siempre se visualiza en tener algo mejor que en su país de origen.

No pude lograr lo prometido. Solo duré dos años y esos dos años no vi suficiente dinero como decían sin embargo lo intenté. En el tiempo que trabajé encontré un nuevo amor. Como dicen: una puerta se cierra y otra se abre. Después de tantas decepciones conocí a alguien de nombre Mauricio, con un comportamiento sencillo, carismático, amable. Todo el mundo lo apreciaba y lo querían. Era una persona super alegre que a todos los compañeros de trabajo les hacía reír con sus ocurrencias. No era el hombre más guapo sin embargo con su forma de bromear hacía que cualquier mujer se enamorara de él. Sí, me enamoré profundamente de él, de su sencillez. El provenía de México y toda su familia se encontraba allá. Mauricio tenía 19 años cuando lo conocí. Era tan tierno como una oveja, tal vez por eso me enamoré, aunque me equivoqué en ese aspecto. Me pidió que fuera su novia. La verdad lo pensé por la diferencia de edad, al final acepté. Al principio la relación iba bien, me sentía como una niña ilusionada, como antes no me sentía. A los tres meses de relación nos movimos juntos. Yo tenía problemas con mi mamá, ya no me sentía cómoda ahí, a pesar de haberme venido a California por ella. La distancia nos hizo muy diferentes, parecíamos agua y aceite, no teníamos ninguna opinión parecida. Cuando él me dijo que por qué no lo intentábamos, no lo pensé dos veces. Yo lo quería y quería una relación seria. Así empezó nuestra pequeña aventura. Un compañero de trabajo nos rentó un cuarto en su casa. No fue fácil iniciar ya que no teníamos muebles; dormíamos en el piso o en colchones inflables aún y eso no era impedimento para tener nuestro nido de amor. Lo difícil era compartir con la familia de nuestro compañero de trabajo, amigos y vecinos. No me importaba no tener una casa propia. Tenía la idea de formar algo juntos. Me emocionaba, aunque fuera desde cero.

Al cuarto mes de vivir juntos la relación no iba en buen camino. En esos tipos de trabajo conocen toda tu vida y la de todos. Laboraban más hombres que mujeres y la verdad los hombres son más comunicativos que las mujeres. Nosotros éramos la pareja más joven dentro de la compañía. En ese tiempo inventaron cuanto chisme o cualquier comentario negativo para que termináramos. A ese punto no le hacíamos caso a los malos comentarios sin embargo algo no estaba bien. Como la mayoría eran hombres solteros les gustaba salir disfrutar de la soltería.

Me hacía la pregunta todas las noches ¿qué es lo que se traen entre manos? Era fácil de comprender sin embargo yo me cegaba a la realidad. A veces los amigos no te dan los consejos que deben. Ellos en su parte solo le aconsejaban el no involucrarse conmigo o tener algo muy serio ya que en el trabajo de las ventas ambulantes te dan la oportunidad de conocer cualquier tipo de personas: señoras, solteras, casadas, viudas, divorciadas, etc. Me refiero solo a las mujeres ya que siendo un equipo de limpieza las únicas que hacen el aseo son las mujeres y a ellas les vendían el producto. A veces tenían que coquetearles para poder vender. Muchas veces los compañeros de trabajo platicaban que terminaban teniendo sexo con sus clientas. Yo solo escuchaba sus conversaciones, aunque para todos era como un premio, como si fuera una competencia para ver quien tenía más relaciones a la semana.

En medio de todas esas circunstancias se terminó la relación. Tuve que empezar de cero. En el año 2010 me costaba mucho trabajo convivir con él, verlo en el trabajo. Tenía tanto deseo de abrazarlo, besarlo, estar a su lado. Pero él solo quería estar soltero. Escuchaba en conversaciones de ellos que Mauricio había conocido otras personas, aunque solo era pasajero, solo una diversión y aun así me dolía. Tomé la decisión de salirme del trabajo. Ya no podía más. Me estaba lastimando mucho aparte que en lo económico no obtenía el resultado prometido. Así que ya no tenía nada que perder. Al día siguiente no me presenté al trabajo llamé para avisar que ya no iría más.

Después de meses de no saber de él, me volvió a buscar. Al principio solo eran llamadas cordiales preguntando cómo estaba y a qué me dedicaba. No llamaba muy frecuente pero cada vez que lo hacía me removía mi corazón, ilusionándome de nuevo. A veces yo no me podía esperar y lo llamaba para escuchar su voz. A veces se portaba cortante e indiferente, otras más amable. Duramos meses sin vernos. A finales del 2010 me empezó a buscar más seguido. A veces me quería ver, yo accedía. Cada vez que lo veía teníamos intimidad, algo que me confundía: yo lo quería, pero no entendía el por qué me buscaba solo de vez en cuando. En mi mente creía que habíamos vuelto aun que lo veía una vez al mes y después de ese día no me volvía a llamar ni yo al él. Solo quería ver su interés, pero en su mente tenía otros planes, yo no era la única persona que él veía, él me buscó no para tener la relación que teníamos antes, sino que me volví su amante. No era ese mi plan, pero sin querer las circunstancias se dieron de esa manera. Yo seguía enamorada. Ni pensaba las cosas cuando me llamaba. Yo me volvía loca al escuchar su voz, pero me di cuenta de que me volví solo un juguete, una más de sus amigas. Yo no quería tener aventuras. Yo quería una pareja y él solo momentos. Llegó el momento que me cansé de la situación. Pasé una última noche con él y me despedí. Le dejé una carta explicando mis razones. Simplemente me retiré de su casa.

Mis razones eran claras: yo no quería ser solo una aventura ni un pasatiempo; que cada vez que me llamara yo saldría corriendo a sus brazos. Yo lo quería de verdad como para seguirme lastimando de esa manera al solo recibir una llamada al mes, cuando él quisiera verme, a la hora que él me llamara, sin importar nada. Pero me cansé. Simplemente no quise seguir más con ese juego. Decidí retirarme. El destino trabaja de muchas maneras, si se puede decir así, ya que decidí dejarlo definitivamente. Ese fue mi pensamiento y mi decisión… pero llegó una sorpresa que cambió el rumbo de esa historia que yo pensaba que ese sería su final.

Capítulo 2. EL SUEÑO DE FORMAR UNA FAMILIA

Cuando era niña muchas veces jugábamos al escribir a los cuantos años una se quería casar, cuántos hijos una quería tener. Siempre pensé en una familia grande. Claro que por mi edad ya no podía tener una familia grande. Solo seguía deseando ser mamá. El ser mamá era el sueño más grande que yo pudiera tener. Realmente no hay una edad estipulada para soñar con tener hijos, a veces las niñas, las adolescentes, las jóvenes, todas ellas siguen teniendo el mismo sueño. Yo deseaba tener una familia, un hogar, mis hijos sin embargo por cosas de Dios no me llegaba la dicha de ser madre. Muchas personas se sorprendían al ver que yo no tenía hijos. Llegué a pensar que no podía concebir o que tenía algún problema, pero no fue así; solo no era mi momento para tener hijos. Solo Dios sabe cuándo es el tiempo adecuado.

Yo le pedía a Dios la oportunidad de ser mamá. Ya tenía 29 años. Yo creía que era una edad donde ya sabría ser mamá o bueno al menos intentarlo. El año 2011 fue un año de cambios y decisiones; ya había tomado la de alejarme de Mauricio. El último día que lo vi con esperanza de que cada uno siguiera su camino, todo cambió: empecé con nauseas. La verdad nunca me imaginé que hubiera llegado el momento más esperado de mi vida.

Me hice una prueba de embarazo. Al darme cuenta del resultado no lo podía creer: era positivo. Fue la mayor sorpresa que hubiese recibido. Me hice la prueba una y otra y otra y otra vez hasta estar segura. No lo creía hasta que fui al doctor y me hicieron mi primer ultrasonido. ¡Qué experiencia más hermosa! Aún la recuerdo como si fuera ayer. Ver a mi bebé como un camaroncito, brincando en una burbuja. Lloré de emoción, porque era algo con lo que yo soñaba y Dios me dio la oportunidad de ser mamá. Era la mujer más feliz hasta ese momento.

Ahora lo más difícil sería ver la reacción del papá. Traté de llamarle, pero él tenía bloqueada mis llamadas. Le mandé mensajes preguntándole si podía ir a verlo, pero como era de esperarse su orgullo era más fuerte. Él se hizo el ofendido por la carta que le escribí, no me quería ver ni hablar. Quise ir a su casa y hablar en persona; él no accedió. Tuve que decirle por mensaje que estaba embarazada. Él se quedó en shock, solo contesto: "¿estás segura?" a lo que respondí: "jamás jugaría con algo tan importante como eso". El solo dijo: "está bien, descansa". Fue su respuesta. Aún no le decía a mi familia. Tenía que saber primero qué iba a pasar o qué decisión tomaría él. Era menor que yo por 8 años, él no estaba listo para ser papá. Vi que él no quería formar una familia. A mí no me daba miedo estar sola con mi bebé, pero algo pasó que él cambió de opinión y decidió estar con nosotros. Nos movimos a un departamento pequeño que renté para el bebe y para mí, pero cuando él decidió moverse con nosotros fue una sorpresa muy grande. El cambió mucho, era mejor persona, estaba atento conmigo, lo sentía tranquilo, feliz. Cuando llegó el momento de nacer el bebé después de nueve meses, él estaba feliz por el nacimiento del bebé, nuestro pequeño Marco.

Él estaba loco por el bebé. Lo curioso es que ¡quién pensaría que él me enseñaría a cambiar los pañales! Él era un excelente papá. Era otra persona.

Cuando le conté a mi familia de mi embarazo no fue una noticia muy agradable para ellos y menos que Mauricio y yo viviéramos juntos. Sin embargo, aceptaron con felicidad el nacimiento de Marco.

Nuestro bebé nos brindó armonía en la casa. Solo se escuchaban risas al disfrutar los momentos con el bebé, ¿qué más podía querer? Después de haber pasado un parto difícil: tuve preeclampsia, razón por la cual no pude tener parto natural, fue cesárea. El niño nació a las 37 semanas. El doctor dijo que si permanecía dos semanas más mi bebé moriría de un paro cardíaco dentro de mi vientre. Por ese motivo se tomó la decisión de la cesárea. Me asusté un poco. Al estar esperando mi turno se escuchaban los gritos de las demás teniendo sus hijos con parto natural. Empecé a tener pavor. Pasé a la sala de operaciones. Estaba temblando de miedo. Mauricio estaba conmigo; eso me hacía feliz: que él estuviera a mi lado en ese momento. No sé cuánto tiempo duró el parto solo sé que escuché cuando lloraba. Se me salieron las lágrimas de felicidad al saber que el bebe estaba bien.

A veces cuando el bebé se encuentra en el vientre no puedes saber con exactitud si él está bien. Solo puedes escuchar su corazón o esperar un ultrasonido para poderlo ver. Era mamá primeriza. Me la pasaba viendo las páginas de internet para saber el proceso, el tamaño y como iba creciendo sin embargo todo salió muy bien, gracias a Dios. La felicidad era grande. Despertar cada mañana ver como jugaba Mauricio con el bebé. Eran momentos inexplicables. Dios nos da sorpresas que no se pueden explicar.

Apenas estaba pasando la cuarentena cuando Dios por segunda ocasión me mandó mi segunda bendición: otra vez estaba embarazada. Había tomado la decisión de cuidarme para no tener bebés y disfrutar a mi niño, pero creo que no funcionó. Tenía ya siete semanas de embarazo cuando me di cuenta. Fui con el doctor que me atendió y me dijo que era muy peligroso ya que como había tenido a mi bebé por medio de cesárea era un embarazo delicado. El doctor me recomendó abortar. No lo hice. Pensé que si Dios me lo había mandado era por algo. Decidí continuar nuestro embarazo con su respectivo cuidado. Fue un embarazo difícil. Estuve deprimida la mayor parte. Me daba miedo que algo saliera mal y abandonar a los pequeños. Me daba miedo dejar solo a Marco sin embargo tenía fe que todo saldría bien. Puse en manos de Dios a mi bebé y mi vida confiando completamente en El. En el transcurso de mi embarazo Mauricio tuvo varios cambios. Empecé a notar que tenía más amigas, le encontré emails de otras personas, le llegaban números de confirmación de una página de internet gratuita donde se puede buscar trabajo y también parejas. No me quedé con la duda, no sé cómo lo hice, pero pude entrar a su usuario, él puso anuncios buscando sexo pasajero sin compromisos, parejas, tríos o lo que fuera. Yo le pregunté en varias ocasiones, pero siempre decía que eran sus amigos quienes usaban esa cuenta. Le encontré varios mensajes, aunque siempre lo negaba. Mientras él trabajaba en las ventas siempre llegaba tarde a casa. Siempre estaba sola. Los amigos que tenía no eran los mejores. Había días que me desvelaba esperando por él. No me encontraba tranquila por los mensajes que veía. En el internet había varias aplicaciones para abrir números y poder mandar mensajes. Le mandé mensaje. Mauricio no reconoció el número. Me hice pasar por una señora de 50 años. Empecé a tener una conversación preguntando si tenía pareja a lo que contestó: "vivo con mi novia". Pregunté: "¿por qué buscas una aventura?" a lo que contesto: "ya no es lo mismo y me gustaría tratar algo más." Si me dolió no sabía qué hacer. Yo embarazada y con un bebé de pocos meses era difícil. Le pregunté, le enseñé los mensajes. Solo respondió que eran sus amigos que estaban usando el teléfono. No sabía qué creerle así que lo dejé pasar. Antes que naciera mi bebé él dejo de hacer esas actividades. Ya estaba más tranquilo. Nuestra relación volvió a estar un poco estable. No estaba muy contenta después de encontrarle esos mensajes. Solo me hubiera gustado un poquito más de apoyo, pero él no le daba importancia a eso. Yo me sentía fea.

Pensaba que si él estaba en busca es porque ya no sentía algo por mí o no sentía deseo de estar a mi lado. Muchas cosas pasan por la cabeza de una.

Después de meses nació mi hermosa nena Yunuet en el año 2012. Fue de alto riesgo porque tenía cesárea abierta por el nacimiento de Marco. No podía tener un parto natural. Si lo tenía se podía abrir la cesárea y si tenía la cesárea pondría en peligro mi vida. Hice lo más sensato: decidí la cesárea. Siempre pedí a Dios por las dos. Gracias a Él había nacido una hermosa nena. Mi recuperación fue más rápida: podía caminar después de la cesárea, me podía levantar a cambiarle el pañal a la niña, poderla alimentar; lo que no pude con Marco. Dios me dio mucha fuerza. Lo raro es que Mauricio no estaba entusiasmado con la llegada de mi princesa. Estaba indiferente. Estuvo todo el tiempo con nosotras, pero él se quedaba dormido y aunque la nena lloraba él no se levantaba a cambiarla como lo hizo con Marco. Sí me sentí un poco desilusionada, él me dijo que estaba preocupado por el dinero de la renta. Al estar unos días en el hospital conmigo no pudo trabajar y eso le preocupaba mucho.

Al salir del hospital me dejó en casa y se fue a trabajar. No tuve mucha ayuda con los niños. Marco aún estaba pequeño no caminaba totalmente, aún necesitaba atención. Llegué a hacer de comer. No tuve reposo. Las obligaciones eran más fuertes. Mis niños me necesitaban. Lo malo es que no tuve mucho apoyo de su papá. Me dio depresión postparto. La impotencia de cuidar de los dos. No me podía partir en dos mamás para atenderlos. A veces mi mamá se llevaba una hora al niño a pasear en carneola para que yo pudiera darle de comer a la niña; se me hizo muy difícil tomar mi tiempo para darle pecho. No me dejaba darle de comer. Cuando uno dormía el otro lloraba y despertaba al que dormía. A veces los dos lloraban, los dos querían atención. Fue muy difícil el primer año. Mis hijos son lo más grande que tengo, aunque sí me habría gustado embarazarme con unos años de diferencia para poderles haber dado la atención a cada uno. Traté de dar lo mejor, pero fue una etapa difícil.

Nuestra relación estaba tranquila pero económicamente no. Mauricio dejo el trabajo. Nos movimos a otro departamento de dos recamaras. Donde compartíamos una habitación con una familia. Él cambio de trabajo: de estar vendiendo productos de limpieza se fue a vender productos de cocina que generaban más comisiones. Una posición mejor, un sueño que nos haría mejor como familia. Llegaban buenas comisiones sin embargo en mi casa no vi ninguna entrada de dinero. Yo veía que compraba trajes nuevos y para nosotros nada. Si no fuera por mi mamá no hubiera tenido pañales ya que ella me compraba lo necesario. Amigas me regalaban ropita de bebé. Como mi nena estaba pequeña y alguna ropa que me habían regalado en su *baby shower* estaba muy grande entonces tuve que conseguir con mis amigas ropa más pequeña. Muchas personas me dieron la mano para apoyarnos, pero creo que era responsabilidad de él de estar ahí. Como empezó a juntarse con gente más importante de nivel empresarial quería tener las mismas ganancias y cargos que ellos tenían, trató de ponerse a su nivel sin embargo le faltaba mucha preparación. Empezamos a tener muchos desacuerdos con la familia que vivíamos, le dejamos el apartamento y nos fuimos a rentar un apartamento de una recámara solo para nosotros. El apartamento estaba muy amplio, estaba muy bien para los cuatro. Pensé que estaríamos bien pero siempre estaba sola con los niños, ya no pasaba tiempo con él. Veía que salía con sus compañeros de trabajo. Le empecé a notar que llegaba con mucho apetito o dormía todo el día. Pensaba que era por mucho trabajo sin embargo a veces estaba incoherente: cariñoso, feliz, relajado. Yo sentía bonito cuando él estaba así porque era muy atento, aunque tenía sus cambios muy repentinos. Otra vez sus mensajes con amigas en la madrugada, pero siempre los negaba o decía que me estaba confundiendo. Entre sus cambios de humor y sus amistades me confundía mucho. Me sentía sola, sin platicar con nadie. Mis amigas cuando más las necesitaba para platicar no podían porque estaban ocupadas o estaban sus maridos y la verdad tenía que entender que no podían hablar cómodamente conmigo.

Los cambios de Mauricio eran cada vez más frecuentes. El empezó a comer demasiado. No se llenaba y seguía comiendo. Pensaba que no había tenido tiempo para comer. Su actitud cambiaba constantemente. Empecé a verlo distinto. Nuestro matrimonio ya no era el mismo. Ya no me tocaba. Empecé a ver más mensajes de otras mujeres. En todo mentía. Salía con cuanta excusa se le ocurría. Era algo que dolía mucho: ver los mensajes y ver cómo les prometía amor pretendiendo estar soltero. Me dolía mucho su actitud. Estábamos pasando por momentos malos económicamente. No teníamos para pagar la renta. Siempre quedábamos mal. Dábamos la renta atrasada. Como era de esperarse, nos corrieron del apartamento. Cada cuarto o apartamento que rentábamos nos corrían por falta de pago. Aunque pedía prestado para pagar nunca era suficiente. Nos corrían con los niños pequeños. La vecina me recomendó pedir ayuda a una iglesia que ayudaba a la gente con problemas. Fui a hablar con el padre. Me sentí tan mal, pero necesitaba dinero para que no nos corrieran de la casa. Lamentablemente no me pudo ayudar; solo estaba autorizado prestar a poca gente y yo no calificaba. Otra opción fue salir a vender fruta con los niños. Así que preparé todo, puse a los niños en la carrerola y nos fuimos a vender puerta a puerta. Después de varias horas no se me vendió ningún plato de fruta. Estaba desesperada. Estábamos sin hogar. Llegamos a pasar durante unos meses viviendo de hotel en hotel, sin dinero para comer. No sabía cómo alimentar a mis hijos. Él aparentemente estaba tratando de sacarnos adelante, pero dinero que le entraba dinero que gastaba. Nosotros estábamos pasando por momentos difíciles. Cada uno pensaba en sus prioridades: él en amigos, amigas y amantes. Mi prioridad era buscar un departamento, comida y como mantener a mis hijos. Ni siquiera teníamos para sus necesidades básicas. Para comprar la leche en polvo tenía que darle de la que me alcanzara porque no teníamos dinero. Tuve que empeñar mi joyería para poder tener un poco de dinero, pero no fue suficiente. Tenía que pedir prestado para poder pagar el hotel para poder tener lo que necesitaban mis hijos.

Los meses pasaban en el hotel. Solo pasábamos pagando día a día con el miedo de tener o no para pagar otro día más de hotel, sin tener para comer. Pasé días con hambre. Mientras mis hijos comieran estaba bien. Eran días de incertidumbre, muchas veces salía del cuarto a pensar qué hacer. Me sentía como en un hoyo sin encontrar la salida. Por más que tratara no encontraba la manera de salir de ahí.

Hasta que una amiga me ofreció quedarme en su casa en lo que nos estabilizábamos. Me ofreció trabajo en una barra. Jamás pensé que yo trabajaría ahí, tomando con los caballeros, muchas veces fingiendo estar contenta, ya que con los problemas económicos quién podría estar feliz. Tenías que bailar con ellos, escuchar sus problemas. También llegaban hombres que buscaban algo más que un buen rato. Nunca pensé en trabajar en esos lugares, pero a pesar de todo, duré un tiempo trabajando ahí. Encontré buenos amigos que me tendieron la mano cuando yo más necesitaba ya que mi situación no era nada fácil.

No era un lugar que me gustara, pero gracias a ese lugar nos pudimos cambiar de casa, llevar dinero y comida a mi hogar. Nos empezamos a estabilizar. Mauricio dejó el trabajo de las ventas. Entró a trabajar en una bodega. Él trabajaba de día y yo de noche, para poder cuidar a los niños.

Estuvimos así un tiempo, pero sus cambios repentinos otra vez se dieron a notar. Los mensajes con otras personas seguían. El continuó poniendo mensajes en páginas de internet buscando sexo sin compromiso. Ver las pláticas con otras mujeres era algo repetitivo; dejaba de hacerlo, pero siempre volvía a hacer lo mismo.

Sé que hace tiempo debí de haberlo dejado, pero el amor ciega. Pensaba en mis hijos. Solo quería mantener la familia unida. Sé que tenía suficientes pruebas para dejarlo, pero mis sentimientos eran más fuertes. Traté de muchas formas hablar con él, pero solo decía que yo estaba viendo cosas que no eran; que los mensajes en internet solo eran para bromear con las personas que le gustaba seguirles el juego, y tontamente le creía. No me quedaba demasiado tranquila, pero solo dejaba pasar el tiempo ya que lo que más quería es que nos estabilizáramos para ofrecerles un hogar a los niños, ya que mi miedo más grande era que nos volvieran a correr de otro lugar con los niños pequeños.

Cuando uno está solo no hay problema. Uno se acomoda donde sea, pero con los niños es más difícil. En muchos lugares no aceptan niños pequeños o más de dos personas por espacio, etc. Un día, haciendo las labores de la casa, le encontré pipas; me quedé sorprendida; no sabía qué eran ni qué estaban haciendo ahí. Le pregunté "¿qué es esto y para qué es?" Solo contestó: "es marihuana". Exclamé: "¡marihuana! ¿Por qué la consumes tú, y para qué?" Solo contestó a mis preguntas diciendo: "me ayuda a dormir y descansar mejor". Le pregunté a amistades si consumir marihuana hacia algún daño; varias personas me dijeron que era natural y medicinal, así que por ignorancia no di mucha importancia. Aunque me di cuenta del por qué esos cambios de apetito o el sueño que le daba. Ya no compartíamos. Siempre estaba sola, limpiando, atendiendo a los niños; mientras él decidía seguir así. Realmente desconozco desde cuándo empezó a consumir o si realmente eran por eso los cambios tan repentinos que tenía.

En la navidad, que es una fecha familiar, llegamos a cenar con mi familia. Después de cenar acostó a los niños en el cuarto de mi mamá y ya no regresó a la sala. Fui a ver dónde estaba. El y los niños estaban profundamente dormidos.

Mi familia me decía todo con la manera de verme; solo movían la cabeza de ver como actuaba. Muchas veces me preguntaron si todo estaba bien, pero para no preocuparlos solo decía que sí. Mi familia no lo quería; se perdía momentos especiales. Yo cada vez me sentía más triste con un amor que dolía, con un amor que no me tomaba en cuenta, con un amor que me hacía sentir que no existía.

Sé que no era feliz, pero tenía la esperanza que él me quisiera un poco o que quisiera estar con su familia o hacer algo por la familia, pero no fue así.

El empezó a salir con los vecinos, empezó a tener nuevas amistades, de donde las conocía no sé, yo desconocía todo lo que él hacía, siempre que llegaba temprano a casa después del trabajo cuando yo no trabajaba él se salía y no regresaba hasta tarde. Comenzó a cambiar más y más. Ya era ofensivo conmigo, de perra no me bajaba. Empezó a salir con amigas. Llegaban a preguntar por él en mi casa sin ningún respeto. Ya no asistía al trabajo. El siempre salía de casa a la misma hora con destino al trabajo, pero yo me di cuenta de que tenía tiempo sin asistir. Ya no me platicaba nada. Yo tenía que estar investigando para darme cuenta de las cosas. No comprendía nada, no sabía, no entendía el porqué de sus palabras, de sus mentiras. Era todo muy confuso. Decía que era mi culpa. Decía que yo lo engañaba. Me trataba como que esos cambios que él tenía conmigo, yo era la culpable. A veces no llegaba a dormir, otras llegaba contento contándome sus proyectos donde me incluía, comentando que trabajaríamos juntos.

Eran cambios muy drásticos. Yo sentía que existía menos en su vida. Aunque tratara de incluirme yo sentía que solo eran palabras de alguien que tuvo un buen día.

Pasó un incidente que hizo que yo dejara el trabajo del bar. Salió a trabajar y regresó a las pocas horas de haber salido con la mano cortada. Él dijo que trataron de asaltarlo. Su mano estaba sangrando mucho. Él no quería que lo llevara al doctor Yo tenía que trabajar. Él, por orgulloso dijo que estaba bien, que me fuera a trabajar, que él mismo se curaría la mano con agua y gasas. Llegó la hora de irme a trabajar, lo dejé con los niños, no me sentía muy tranquila. A las pocas horas que entré al trabajo me llamó: que tenía dolor muy fuerte. Pedí permiso para salir temprano del trabajo; se enojaron conmigo. Sé que era una emergencia. Al llegar a casa fue la peor sorpresa que me llevé: la casa tirada por todos lados, parecía que nos habían asaltado, los niños llorando, su mano horrible (la carne de la mano casi saliendo). Llamé a mi mamá, que si podía pasar por los niños para poderlo llevar al doctor. Lo llevé al hospital, le cocieron la herida. Ese momento hizo que yo decidiera salirme del trabajo y estar con los niños. No quise que esa situación volviera a pasar, así que yo cuidaría a los niños, aunque en lo económico podríamos volver a tener problemas. Eso se me vino a la cabeza y la verdad que ilusa si eso realmente hubiera pasado, pero ese no fue el peor momento. A las siguientes semanas otro suceso cambiaría nuestras vidas para siempre.

Capítulo 3. CAMINO AL MUNDO OSCURO

Las siguientes semanas fueron el inicio de algo que jamás me habría esperado. Siempre pensé que nuestra relación terminaría por otra mujer. Me sentía muy insegura de su cariño, pero jamás me imaginé que nuestras vidas se dirigirían a este camino.

Era el 18 de mayo del 2014. Nuestra relación no pasaba por buenos momentos; aunque a veces estaba estable, de repente cambiaba ya su actitud. Cada vez era peor. Ya era más frecuente que no llegara a dormir. Me llegaba con excusas. No sé si estaba con otra mujer. ¿Qué más podría yo pensar?, pero él siempre decía que eran los amigos. Empecé a ver otros cambios en él. El nunca sudaba y de repente tenía sudor extremo, no dormía, no comía, salía constantemente de la casa. En la madrugada me despertaba y él no estaba en casa. El, por esa fecha, era un domingo, me dijo que iría por nosotros para llevarnos a pasear; que nos pusiéramos guapos y eso hice, pero nunca llegó. Lo llamaba constantemente, no contestaba, me quedé sin dinero para comprar pañales. Lo volví a llamar, le mandé mensajes a su celular pidiéndole que si por favor me podría traer pañales para los niños. Solo contestó que no tardaba. Simplemente no llegó. Yo no dormía de la preocupación, no sabía de él, no sabía si le había pasado algo.

A los dos días que no llegó a casa fui a la policía a poner un reporte de persona desaparecida. Esperaba que con eso me pudieran ayudar a encontrarlo, pero no llegaba. El desapareció una semana. En esa semana teníamos que pagar renta. La *mánager* ya no me quería dar días de plazo para dar el pago, a ella no le importaba mi situación. No sabía qué pensar, yo decía "no creo que nos haya abandonado", estaba asustada, preocupada por tener que pagar la renta y no tener el dinero.

Como era de esperarse, me desalojaron de la casa otra vez. Mi mamá me ayudó a mudarme. Esa vez me costó tanto salir de esa casa, sintiendo que el a lo mejor volvería o cómo me iba a salir sin saber de él. Dejé el apartamento con el corazón roto, pensando "¿ahora qué voy a hacer?, ¿cómo voy a hacer?" Era una incertidumbre, un vacío en el corazón. Me ponía a llorar en las noches sin que los niños se dieran cuenta. Ni mi mamá se daba cuenta de lo que estaba pasando; para ella solo era una separación cualquiera, pero para mí era lo más doloroso que me podía haber pasado porque ni siquiera habíamos peleado; ni un adiós o saber algo de él, ni una llamada. Era muy raro todo.

Sé que, aunque no hayamos peleado o discutido ni hayamos tenido distanciamiento, me hubiera gustado tener una respuesta o algo, por más que doliera si se quería ir, o ya no me quería o simplemente "me voy". Creo que eso era mejor al no saber si le había pasado algo o no tener una respuesta. A veces una espera una explicación, aunque no nos den ni una y solo nos quedamos con la incertidumbre de qué fue lo que realmente pasó.

Una semana después, llegó a casa de mi mamá como si nada. Tenía raspones, golpes. Llegó sucio. Decía que lo habían asaltado. En su historia comentó que la Mara Salvatrucha lo había asaltado, que le quitaron todo el dinero, que llegó a unas playas. Toda esa historia se escuchaba muy rara. Le pregunté por qué no me llamó para ir por él o habría buscado la manera de ayudarlo, pero él solo decía que no quería que yo lo viera de esa manera y por eso no llamó. Cuando empaqué mis cosas para dejar el departamento guardé las cosas de él aparte porque yo no sabía qué había sucedido. Cuando llegó a casa de mi mamá yo le dije que no tenía su ropa en casa de mi mamá, sino en un almacenamiento donde puse todas nuestras pertenencias. Eso le molestó tanto que se enojó y terminó conmigo. No me dejó explicarle; él llego de mal carácter diciendo a mi mamá que ojalá me pasara lo que a él le pasó para que yo me diera cuenta lo que él estaba viviendo y sintiendo, y así él poder quedarse con los niños.

Cuando se fue, esperé a que todos se durmieran; comencé a llorar. Me hacía fuerte delante de ellos. Cuando todos dormían salía al estacionamiento a fumar, a llorar, a sacar todas mis frustraciones de lo que yo sentía; me puse a pensar qué fue lo que le pasó para estar de esa manera; deseando que me fuera mal para sentir lo que el sintió. No sabía qué pensar; eran muchas cosas en mi mente; sentía mi corazón y mi mente descontrolados, con dudas sin aclarar. Esperé a que él llegara y hablar, pero cada día él en la calle era difícil, no tenía dónde dormir. Yo me preocupaba por él, fui a buscarlo para saber de él y tratar de hablar o de hacer algo, no sé qué, pero solo seguí mis impulsos; le llevé ropa limpia, aunque fuera un cambio, pero él fue grosero. Me topé con uno de sus amigos, le pregunté: "¿no sabes dónde se fue?"; solo me contestó: "fue a conseguir CRISTAL" (METANFETAMINA); le pregunté: "¿él consume eso?", y solo un silencio moviendo su cabeza de afirmación que él la usaba. Llegué a casa y solo tenía algo en mente: quería investigar qué droga era y cuáles eran sus efectos...

25

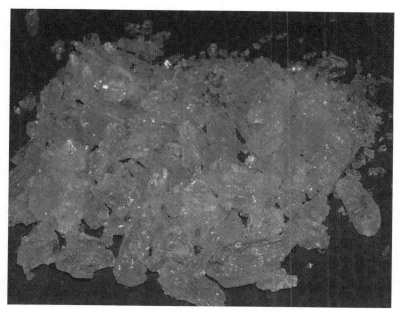

La metanfetamina es una droga blanca y cristalina que se consume inhalándola por la nariz, fumándola o inyectándosela con una jeringa. Algunos incluso la toman por vía oral, pero todos desarrollan un fuerte deseo de continuar consumiéndola porque la droga crea una sensación falsa de felicidad y bienestar; una ráfaga (sensación fuerte) de confianza, hiperactividad y energía. También se experimenta disminución del apetito. Los efectos de esta droga generalmente duran entre 6 y 8 horas, pero pueden durar hasta veinticuatro horas.

Es una sustancia química peligrosa y potente, al igual que todas las drogas. Un veneno que primero actúa como estimulante, pero luego comienza a destruir el cuerpo sistemáticamente. Por lo tanto, se asocia con condiciones graves de salud, incluyendo pérdida de la memoria, agresión, comportamiento psicótico y daño potencial al corazón y al cerebro.

LAS ETAPAS DE LA METANFETAMINA.

1) La oleada: Una oleada es la respuesta inicial que siente el consumidor cuando fuma o se inyecta metanfetamina. Mientras se siente la oleada, el corazón y el metabolismo del consumidor se aceleran; la presión arterial y el pulso se elevan. A diferencia de la oleada asociada con la cocaína crack, que dura de dos a cinco minutos aproximadamente, el acelerón por metanfetamina puede continuar hasta

treinta minutos.

2) El viaje: A la oleada le sigue un viaje, que a veces se llama "el hombro". Durante el viaje, el consumidor a menudo se siente agresivamente inteligente y se pone a discutir, con frecuencia interrumpiendo a los demás y terminando oraciones por ellos. Los efectos ilusorios pueden generar que el consumidor se concentre intensamente en algo insignificante, tal como limpiar la misma ventana repetidamente durante varias horas. El viaje puede durar de cuatro a dieciséis horas.

3) El desenfreno: Un desenfreno es el consumo sin control de una droga o del alcohol. Se refiere al impulso del consumidor a mantener el viaje fumando o inyectándose más metanfetamina. El desenfreno puede durar de tres a quince días. Durante el desenfreno, el consumidor se vuelve hiperactivo tanto mental como físicamente. Cada vez que el consumidor fuma o se inyecta más droga, experimenta otra oleada menor hasta que, finalmente, ya no experimenta ni oleadas ni viaje.

4) Retorcimiento: Un consumidor de metanfetamina es más peligroso cuando experimenta una fase de la adicción llamada "retorcimiento": una condición que se alcanza al final de un desenfreno de drogas cuando la metanfetamina ya no proporciona una oleada o un viaje. Incapaz de aliviar los espantosos sentimientos de vacío y ansias, el consumidor pierde su sentido de identidad. Es común un intenso picor, y el consumidor puede llegar a convencerse de que hay insectos arrastrándose por debajo de su piel. Al no conciliar el sueño durante varios días seguidos, el consumidor a menudo está en un estado completamente psicótico y vive en su propio mundo, viendo y oyendo cosas que nadie más puede percibir. Sus alucinaciones son tan vívidas que parecen reales y, desconectado de la realidad, se puede volver hostil y peligroso para sí mismo y para los demás. Las probabilidades de mutilarse a sí mismo son muy elevadas.

5) El colapso: Para un consumidor de desenfreno, el colapso ocurre cuando el cuerpo se "apaga" al ser incapaz de manejar los efectos de la droga, abrumando así al cuerpo, y esto resulta en un largo período de sueño para la persona. Incluso el consumidor más cruel y violento

aparenta encontrarse casi sin vida durante el colapso. El colapso puede durar de 1 a 3 días.

6) Resaca de metanfetamina: Después del colapso, el consumidor regresa en un estado deteriorado, hambriento, deshidratado y totalmente exhausto física, mental y emocionalmente. Esta etapa generalmente dura de dos a catorce días. Esto conduce a una adicción forzosa, ya que la "solución" para estas sensaciones es consumir más metanfetamina.

7) Retirada: A menudo pueden pasar entre treinta y noventa días después de consumir la droga por última vez antes de que el consumidor se dé cuenta de que está en la retirada. Primero, se deprime, pierde su energía y la capacidad de experimentar placer. Entonces le llega la ansiedad de tomar más metanfetamina y el consumidor a menudo se vuelve suicida. Debido a que la retirada de la metanfetamina es extremadamente dolorosa y difícil, la mayoría de los consumidores a menudo vuelven a tomarla; consecuentemente, el 93% de quienes reciben el tratamiento tradicional vuelve a consumir metanfetamina.

Al leer todo y ver videos comprendí porque sus cambios de ánimo y por qué esa violencia hacia mí.

Seguí investigando para saber más, busqué videos en internet, estuve días leyendo capítulos e historias acerca de familias que pasaron lo mismo que nosotros.

Observación del tema de metanfetamina:

El primer consumo puede estar motivado por razones diversas y siempre depende de la confluencia de varios factores, tanto personales (relativos al propio individuo que consume, como la edad, su historia previa de aprendizaje y consumo, la información que se tiene sobre las drogas y sus efectos, el grado en que la persona se siente integrado o no en su grupo de referencia, el grado en que es o no susceptible a los refuerzos y las críticas sociales derivadas de su conducta, el grado en que es vulnerable a las presiones del grupo…) como ambientales (relativos al contexto y a las circunstancias en que tiene lugar el consumo, como podrían ser la presión grupal, la anticipación de consecuencias positivas o negativas asociadas al consumo, encontrarse en un contexto propicio al consumo, tener acceso a las drogas, tener problemas de los que las drogas permiten desconectar momentáneamente…). La lista puede ser muy larga y específica de cada persona.

Después de analizar la información se me vinieron muchas cosas a la mente, algunos cambios que él había tenido hacia a mí, que aún buscaba respuestas que nunca tuve. Después de ese suceso cada vez venía más violento, querer ver a los niños; amenazaba con traer pistola para poder verlos. Le llegué a tener miedo de su actitud. Jamás le había tenido tanto miedo a esa mirada. Le creía cada palabra que decía al querer lastimarme o hacerme daño. Al verlo llegar a casa de mi mamá entraba corriendo a la casa con ese pavor. Lo curioso es que antes, cuando lo veía me daba una alegría, mi corazón latía fuertemente, pero ahora mi corazón solo latía de miedo. Tuve que llamar a la policía para que se lo llevaran de la propiedad. Mis amistades me decían que si él entraba en la cárcel él iba a reaccionar, pero no fue así, tuve que ponerle una orden de restricción. Es lo más difícil que pasé. Tuve que ir a la corte a decir lo que había pasado, sé que todo era verdad, pero hasta qué punto llegamos, todo habría sido diferente. Tuve que hacer un plan B y tratar de hacer algo por los niños y por mí. Estaba pasando una etapa de reencuentro conmigo misma, el no depender del esposo, aunque hubiera dinero o no; siempre dependía de él para lavar, para ir al mercado, para tomar cualquier decisión.

Aunque gracias a esa situación me sirvió de aprendizaje, empecé a salir más, a estar sola con los niños; me sentía libre, aunque preocupada de dónde estaría. Fui a buscarlo varias veces en la playa en Santa Mónica. Al verlo ahí como un limosnero, todo drogado, ido, hablando solo de sus proyectos (él se dedicaba a recolectar latas, pero solo utilizaba su dinero para la droga), le pedí que viniera con nosotros, que cambiara su estilo de vida. Pero cada vez que iba él estaba muy feliz. Dejé de buscarlo. Comprendí que él no volvería.

Empecé a trabajar en una fábrica, me compré carro, me empezó a ir mejor; le batallé, pero empecé a salir de esa burbuja. Cuando yo me estaba levantando, él regreso y los problemas empezaron de nuevo. Cuando él vuelve dice que extraña a los niños, que los quería ver y los niños también lo querían ver. Cuando él se fue los niños preguntaban dónde estaba su papá; siempre les decía que estaba trabajando. Les dije que yo nunca los dejaría, que siempre estaría ahí para ellos; creo que esas palabras, a pesar de estar pequeños, les dieron seguridad. Ellos veían a muchachos con cachucha o patinando, y pensaban que era su papá. Se me hacía un nudo en la garganta; no tenía palabras para ese momento, solo les decía: "no es papi, amor, él está lejos". Cuando él regresó fue el 15 de octubre de 2014. Yo no sabía qué hacer, pero al ver que no tenía dónde vivir le dejé dormir en el carro, mientras veíamos qué se podía hacer. Empezó a trabajar, según estaba mejor; decía que se sentía diferente, contento. El comentaba que se sentía mejor trabajando y estando con nosotros; sé que le dejé usar el carro, pero la verdad no sabía qué más hacer; sé que él había fallado mucho, pero también me daba remordimiento verlo en esa situación. Una tiene corazón sensible. Solo traté de apoyarlo como alguien me apoyaría a mí.

El 31 de diciembre 2014 yo me encontraba trabajando. Él tenía que pasar por mí para recoger a los niños de la guardería. Solo veía cómo pasaban las horas y minutos. Tenía que pasar por los niños a más tardar a las 7:30 p.m. Él no llegó, no tenía dónde comunicarme con él, era una incertidumbre; tenía que ir por los niños; gracias a una compañera me hizo el favor de llevarme a recoger a los niños; llegué tarde, aunque sea pude ir por ellos, él no llegó. Ese día era de festejo, de iniciar un nuevo año pidiendo a Dios que nos fuera bien, que fuera próspero etc., es lo que uno usualmente pide al finalizar cada año, pero en mi caso solo quería saber dónde estaba metido Mauricio. Por qué no fue por nosotros.

¿Qué más podía esperar de él?

Capítulo 4. NUEVO AÑO

Ese día no dormí, tuve que disimular que todo estaba bien, pero dentro de mí solo pensaba donde estaría. Se llevó el carro, que a la vez era una de mis preocupaciones. Era mi medio de transporte para poder ir al trabajo. Mi cabeza daba vueltas.

El 31 de diciembre era día de festejo, pero qué podía festejar, qué podía pedir si por dentro no me sentía capaz de pedir algo bueno ni positivo. Solo quería que apareciera, que llamara, saber de él. Al día siguiente era primero de enero del

2015. Llamé a un amigo para que me ayudara a buscarlo. Me sentía preocupada. Fuimos a buscar por donde trabajaba, pero el carro no estaba por ahí. Me dejó en la estación de policía; volví a hacer un reporte de persona desaparecida, el policía me preguntó si se había desaparecido anteriormente, le dije que sí, él preguntó dónde estaba en esa ocasión, le dije con sus amigos; el policía comentó que cómo era posible que las personas dejaran preocupadas a sus parejas de esa manera, que una persona así no me convenía, que si aparecía ya no volviera con él. Cuando estaba en la estación de policía me llamaron para avisar que mi carro había aparecido cerca de la casa de mi mamá; me llevó el policía. Mauricio no estaba ahí; el carro lo estaba manejando otra persona, solo le dijeron que entregara el carro, no hubo cargos, por fin había encontrado mi carro.

El policía preguntó: "¿y el dueño del carro dónde está?"; él solo dijo que se lo dejó y no sabía para dónde se había ido.

Ese día en la noche él llegó a la casa diciendo que no sabía dónde estaba el carro, me dijo que lo disculpara, que él se había quedado con unos amigos y habían tomado mucho, que podía llamar a su amigo para que trajera el carro; le dije: "ya tengo el carro". Le pregunté: "¿por qué lo dejaste, si sabes que lo necesito para trabajar?", me dijo que el carro se había quedado sin gasolina, que salió a buscar una gasolinera, que solo caminó, caminó, caminó y perdió el carro. Esa fue su excusa. Mauricio solo decía: "perdóname, sé que te volví a fallar, yo los quiero mucho, quiero estar con ustedes".

No supe qué decir, cada vez le perdía más la fe a que él cambiara. Le comenté que esta vez no le podía prestar el carro para dormir, que me disculpara, me dijo que él ya tenía un lugar donde dormir. Cuando estaba saliendo del edificio, un señor estaba regalando su perrita, era una Pastor Alemán, él dijo que la quería, le comenté: "tú no puedes cuidarla ahorita, no tienes un espacio donde puedas atenderla", él solo dijo que él se encargaría de ella. Al pasar los días él venía a ver a los niños, pero entraba al edificio con la perrita. Los inquilinos se empezaron a quejar de la perrita, los mánager se quejaron con mi mamá, le expusieron que no podía estar entrando Mauricio con la perrita, que tampoco podía vivir con nosotros ya que no podía haber demasiada gente, también explicaron que no lo querían ver en el edificio, que los vecinos se estaban quejando mucho de él porque merodeaba por las noches; que si seguía andando por ahí nos iban a correr de la casa. Mi hermano, preocupado y molesto solo dijo que si nos llegaran a correr no se lo iba a perdonar. Ante esas palabras, ¿qué más podía hacer?: solo tomar una decisión precipitada y tonta.

Yo no quería meter a mi familia en problemas y más que perdieran la casa por mi culpa. Si yo seguía viviendo ahí, él iba a seguir yendo cualquier día con el pretexto de ver a los niños. Sé que nos encontrábamos un poco estables, nos estábamos ayudando mutuamente, pero no me sentía cómoda que el mánager de los apartamentos de mi mamá le estuviese llamando la atención cada vez que Mauricio aparecía, ya que no lo querían dentro del edificio o en los alrededores.

De tanto pensar, tomé la decisión de salirme de la casa y empezar de cero mis hijos y yo. Sé que me fui de la casa de mi mamá para evitarle problemas, sé que no fue la mejor decisión, pero solo quería protegerlos. Quería que siguieran viviendo tranquilos, sin ninguna preocupación.

Salí del departamento, no le dije a mi mamá donde estaría, no tenía muchas opciones, el único lugar al que podía llegar era un hotel. No me sentía muy cómoda, pero era lo único que les podía ofrecer a los niños. Sé que esta vez era un poco diferente ya que era yo la única que trabajaba. Haría lo posible para podernos salir de ese hotel y rentar el apartamento que siempre había soñado.

Mauricio fue a casa de mi mamá a buscarnos, ella le informó que ya no vivíamos ahí; pidió prestado un teléfono, me llamó. Le dije que estábamos en un hotel. Fue a buscarnos. Me ofreció su ayuda para cuidar a los niños mientras yo trabajaba de día en el bar hasta que encontrara quien me ayudara a cuidarlos. Acepté su ayuda. Cuando yo regresaba del trabajo él se iba. Realmente ya mis sentimientos fueron cambiando. Él salía de noche, encontraba nuevas amistades, hombres y mujeres. Él tenía una aventura con una muchacha que dormía en el cuarto de al lado, yo sospechaba, pero él y yo ya no teníamos nada, menos una vida íntima juntos. Yo lo ayudaba a pasar la noche en el cuarto, bueno cuando quería dormir, y él me ayudaba con los niños un ratito en lo que yo trabajaba. Realmente no tenía con quién contar, no tenía muchas amigas. En una ocasión mi amiga Lorena fue a misa, ahí se encontraba un sacerdote que solo fue invitado, él era de otra parroquia; se acercó a ella, le dijo: "tú tienes una amiga que está pasando una situación difícil, a la persona que tiene a su lado solo le tiene lástima, ya no es amor lo que siente por él, dile que tenga cuidado ya que por ayudar a una persona puede salir lastimada". Cuando ella me contó eso me asusté. Sé que yo no compartía mucho con él, lo único que se me ocurrió fue convencerlo a internarse a un centro de rehabilitación, y aceptó, pero cuando llegamos ahí no se quiso quedar para no mandarme sola ya que era muy tarde; no quería que manejara tan tarde con los niños. Realmente no tengo palabras para expresar lo que sentí cuando él no se quiso quedar ahí; fuimos a otro más cerca de donde estábamos y ahí yo era la del problema. Resulta que yo no lo entendía: como nunca lo vi consumiendo, nada de eso se justificaba. Después de varias semanas, él me pidió el carro prestado para recoger una máquina para lavar alfombras. No estaba segura de prestarle el carro, ya no confiaba en él, pero me dijo que quería trabajar por su cuenta, que quería empezar de cero. De tanta insistencia le presté el carro. Otra vez confié, cometí el error. Ya no regresó esa noche. Perdí mi trabajo porque no tenía cómo llegar; entraba a trabajar a las 4 a. m.; no había transporte a esa hora, solo taxis. Por faltar ese día a trabajar me despidieron. Me dio mucho estrés. Duré varios días con dolor de brazo. Del mismo estrés no pude mover mi brazo por varias semanas. A la niña le dio alopecia; pensé que era por el estrés de la ausencia de su papá, pero los doctores realmente nunca supieron las causas ya que siendo menor de edad no era muy usual. Mauricio parecía que no valoraba ni un momento lo que estábamos pasando. Nos quedamos sin hogar por él. Estuve viviendo en un hotel por él, para evitar problemas a otras personas, pero el daño nos lo seguía haciendo a nosotros. Decía querernos, pero cómo me perjudicaban sus decisiones. Quería que mis hijos estuvieran cerca de él, pero en ese momento no comprendía su adicción. Solo me imaginaba que se le hacía fácil tener carro e irse adonde fuera y no veía consecuencias. Ya había estado en la cárcel por varias ocasiones, aunque temporadas cortas y aun así no valoraba ni trataba de cambiar. Pedía por él todas las noches; que estuviera bien. Me preocupaba por todo: dinero, trabajo, mis hijos, cómo iba a empezar otra vez. Tenía que empezar por el plan B. Una de las muchachas que hacían la limpieza del hotel se dio cuenta de mi situación; ella era mamá también y me recomendó una prima para que me cuidara a los niños y así yo podría buscar otro trabajo o pedir más horas en el bar; las propinas eran las que me ayudaban más. Por ahí empecé. Gracias a Dios que no me desamparó; puso en mi camino a personas que no conocía a que estuvieran ahí para nosotros en esos momentos, aunque tiempo después no volví a saber de ellas, pero en los momentos más difíciles ahí estuvieron para nosotros. A un mes de su ausencia, el carro apareció; se encontraba en el Valle de San Fernando en California. Al parecer se quedó sin gasolina y se pasó un "ALTO"; por ese motivo lo detuvieron, estuvo tres días en la cárcel. Yo pude recuperar mi carro. A pesar de todo seguía con mis planes de buscar un apartamento, un lugar donde vivir. Había días que me salía en la noche afuera de la puerta mientras los niños dormían, analizando las cosas que estábamos pasando, tratando de encontrar un consuelo, un abrazo con el silencio de la noche; esperando respuestas, cómo necesitaba ese abrazo, por días esperando que me dijeran "no te preocupes, van a estar bien", pero claro que esas son las últimas palabras que recibí, solo escuchaba "eres una tonta por haberlo ayudado, mira en la situación en la que estás". Juzgando lo que había sucedido me hacían sentir culpable; tenía remordimientos por los niños. Yo no quería que ellos pasaran por esto. Solo traté de ayudar a su papa, traté de comprenderlo, traté de ver una lógica a su comportamiento, a su falta de interés de cambiar. Hasta llegué a pensar que tenía depresión y no encontraba su camino.

Muchas veces me sentí culpable por haberme cruzado en su camino. Si nunca nos hubiéramos conocido o no hubiera salido embarazada -que creo eso fue lo que a él lo hizo cambiar: la responsabilidad de ser papá tan joven, después tener un segundo hijo al poco tiempo- creo que él nunca asimiló eso, mientras que, para mí, mis hijos han sido una bendición, no me arrepiento por ellos, pero al verlo así me sentía como que yo le destruí su vida. Yo solo quería tener una familia, un hogar. Mis hijos era lo que más yo deseaba en esta vida, claro que me dolía por ellos también al verlos pequeños estar en un hogar inestable preguntando por papá constantemente. Me daba una desesperación, una impotencia al no tener respuestas.

A unos meses de su ausencia recibo una llamada, el día 30 de abril me contactó, quería ver a los niños, no quise negarle que los pudiera ver. Un amigo de él lo trajo; cuando vio a los niños todos estaban emocionados, a él le salieron lágrimas de los ojos mencionando que los había extrañado. Me preguntó cómo estaba yo, le contesté: "bien, gracias". Fuimos a cenar. Después de la cena vino la pregunta un poco incómoda. Me dijo que si se podía quedar con nosotros esa noche y que al siguiente día pasarían por él. Respiré y acepté, pero nunca pasaron por él. Se quedó ahí con nosotros. Le pregunté cuándo iban a pasar por él, solo dijo "me quiero quedar con ustedes". Mi corazón se dividió: en una parte me habría gustado que nunca se hubiera ido, que siguieran las cosas mejor como las que estaban; por otra parte, los niños estaban felices con su papá. Por ellos acepté... pero ya mis sentimientos por Mauricio jamás volvieron a ser los mismos. Dejamos de ser pareja hace mucho tiempo, desde el día que se desapareció la primera vez.

Pasaban los días, él estaba muy tranquilo. Se veía normal, pero de un abrir y cerrar los ojos todo cambió, empezaron los cambios extraños: una noche se escuchaban murmullos, me asusté, tomé mi celular, encendí la luz, era Mauricio desnudo, sentado en el rincón murmurando, meciéndose de un lado a otro, le pregunté: "¿qué estás haciendo?"; encendí la luz, se levantó, se cambió y se salió. Era de madrugada, claro que ya no pude dormir del asombro que me causó. Había días que llegábamos los niños y yo al cuarto, encontrábamos el cuarto lleno de hielo. Decía que estaba cargado de mala energía. Cada cambio que él tenía me daba más miedo; ya no podía dormir, lo escuchaba hablando, me hacía la dormida, pero él decía que yo no lo dejaba dormir, que me le metía en su cabeza seduciéndolo, se levantaba de la cama, se acercaba a mi lado, violento decía "aquí estoy pues, ya déjame dormir, ¿por qué te me metes a mi cabeza de esa forma?". Cuando él me decía eso, sus ojos otra vez se llenaban de odio, de coraje hacia mí. Empecé a estar intranquila. No dormía, me despertaba constantemente para verificar que él estuviera dormido o que estuviera en su cama. Había días que él veía pornografía, se la pasaba hablando con las chavas de los videos. Me daba miedo que se pudiera excitar y tratara de tener relaciones a la fuerza. A veces sentía que se excitaba tocando mis pies, yo los quitaba, pero sentía cómo trataba de satisfacerse de una manera o de otra. Gracias a Dios no intentó algo más conmigo.

A los días cambiamos de hotel para estar más cerca de mi trabajo. Estaba un poco más económico, así podía ahorrar un poco más. Cómo olvidar lo sucedido en ese lugar; cada vez que paso trato de olvidar lo que viví ahí.

La adicción lo estaba consumiendo, pero una es ciega, no me di cuenta hasta ya después. Él estaba muy diferente, hablaba solo, cada vez se ponía más violento, pero yo no tenía la certeza. Aunque todos los síntomas estaban ahí, nunca estuve segura de esa adicción o no lo quise aceptar. Sé que traté de ayudarlo; me sentía mal verlo dormir en la calle. Siempre se me venían a mi cabeza los recuerdos cuando él recolectaba basura, cuando dormía en la calle con la perrita, verlo tan joven de esa manera me sentía mal, simplemente no lo quise desamparar. Cada día que pasaba él y sus cambios eran más frecuentes. Un día regresando de pasear con mi mamá, él estaba en el cuarto enojado con mucha rabia, que lo primero que se me vino a la mente fue: "quédate en el cuarto, los niños y yo dormiremos con mi mamá, mañana regreso para que estés más tranquilo". Él no me dejó ir, me siguió al carro, forcejeamos, rompió una ventanilla del aire acondicionado; como no me dejó ir solamente cerré la puerta del carro; seguí caminando; no sabía a quién pedir ayuda, si ir al bar (pero me imaginé que los metería en problemas). Seguimos caminando; había un taxi, quise tomarlo, no me dejó. Empezó a decir que si ya lo conocía él no me iba a dejar ir, que lo iba a matar si yo me subía al carro; me dieron miedo sus amenazas. Seguí caminando; él abrazo al niño; yo tenía durmiendo a la niña; me venía lastimando: me apretaba el cuello con esa fuerza, no sé cómo aguante ese dolor; traté de disimular por el niño para que no se asustara; solo le decía: "dame al niño, por favor"; le suplicaba "dame al niño, por favor"; no me hacía caso; le llamé a un amigo del bar, él era el único que vivía cerca de ahí, le dije que Mauricio venía violento, que no me dejaba ir, que si podía ir a hablar con él para que se calmara, pero cuando llegó fue lo contrario: empezó a decir que nosotros teníamos una relación, que le veíamos la cara. Mientras él discutía con Juan Carlos yo empecé a caminar rápidamente hasta llegar al carro; él corrió al ver que nos estábamos alejando, me alcanzó; metí a los niños al carro, le dije que me dejara ir. Juan Carlos se quedó en la parte de enfrente dl hotel. Mauricio y yo forcejeamos por la llave, me la quebró, por defensa traté de encajarle la llave en el estómago, pero él era más fuerte que yo; me tumbó al piso; el niño corrió, le dijo que a su mami no. Yo no quería que Marco viera eso, empecé a gritar: "Juan Carlos, auxilio"; grite más fuerte: "ayuda", y salió el encargado del hotel, llamó a la policía. La policía empezó a preguntar qué había pasado, no pude contestar ni explicar bien por la adrenalina del miedo, de los nervios cuando vi que llegaron. Empecé a llorar, no podía respirar de los nervios; traté de explicar un poco, solo les dije que me había lastimado los brazos y el cuello, que no me dejaba ir. Me pidieron que me quitara el suéter. Para sorpresa los policías no vieron ninguna marca, partieron. Me fui de ese hotel a otro, llegando ahí me di un baño, revisé mis brazos, ahí estaban sus dedos marcados, me dejó moreteados los brazos. Los policías al ver que no sangraba no era un caso mayor, no le dieron importancia y lo dejaron ir. Partimos a dos diferentes rumbos, el a la calle, los niños y yo a otro hotel.

Esa noche fue una pesadilla, jamás me imaginé que íbamos a pasar por esa situación, y peor aún que el niño haya presenciado ese momento. Le pedí a Dios que borrara esos recuerdos, que no los fueran a recordar más adelante.

SEGUNDA PARTE

A veces nos cuesta tomar decisiones, nos cuesta trabajo poder terminar una relación, por más dañina o tóxica que pueda ser.

Muchas veces pensamos con el corazón, no con la cabeza. Creemos que el cariño o amor que podamos tener por la persona que amamos es suficiente para que cambie, pero no siempre es así.

Cuando llega el momento de decir adiós, ya no hay marcha atrás, cuando el amor se desgasta, se cansa de luchar, es momento de decir adiós.

Capítulo 5. EL RESULTADO

Cada persona encuentra su propia motivación para seguir. Mis hijos han sido mi mayor motivación, no me dejé vencer antes las adversidades, sé que hubo momentos en donde muchas personas me cerraron las puertas y me juzgaron; yo solo hice lo que pensé era lo correcto: tratar de ayudar al padre de mis hijos y a la persona que amaba.

Junio del 2015 fue un mes importante. Ese mes llegó con muchos cambios. No quise que mi tristeza y mi desilusión me consumieran. Yo seguí con mis objetivos de poderles dar un hogar a mis hijos, darles algo estable, salir de vivir en hoteles, así que continúe trabajando por ello y para ellos.

Cuando estaba buscando un lugar donde vivir, mi amiga y compañera de trabajo Lourdes me expresó que estaba buscando un lugar para moverse y escuchó que yo también andaba buscando departamento. Me propuso mudarnos juntas y acepté. No lo pensé dos veces, así que nos ayudaríamos ambas. Casualmente cerca del trabajo había un apartamento en renta, preguntamos, llenamos las aplicaciones que se necesitaban; gracias a Dios no pedían muchos requisitos. Entré a las instalaciones y me enamoré del lugar. Era exacto lo que había soñado: un lugar lleno de palmeras, jardines por todos lados, albercas, un área para que jugaran los niños, ¿qué más podía pedir? Claro que quería rentar ahí. Gracias a Dios se logró el sueño, pudimos rentar el apartamento. Cuando nos entregaron las llaves no veía el momento de estar ahí para instalarnos. Después de haber pasado por muchos hoteles creo que ya era hora de tener un lugar estable para ellos.

Después del suceso en el hotel no tuve llamadas de Mauricio. Desconocía su paradero.

Empecé a arreglar el apartamento. Me sentía satisfecha por el logro de obtener un hogar. Ya los niños estarían estables. Nos encontrábamos en un buen lugar. La armonía reinaba en el hogar. Las cosas iban de maravilla, todo en buen camino. A los días Mauricio llamó arrepentido por lo sucedido. Dijo que nunca fue su intención lastimarnos, que no supo que había pasado ese día, que había perdido la cabeza, que lo más importante para él era su familia, que extrañaba a sus hijos, que desearía otra oportunidad. Dijo que esta vez no se iría, que había analizado las cosas, que realmente quería intentarlo, que su familia le importaba. Escuché lo que me decía; no sabía qué hacer. Por una parte, ya no quería que estuviera en casa; aún recordaba la incertidumbre de estar con él, el miedo, la intranquilidad de saber si está bien o no, pero me juró que cambiaría. Sé que nunca tuve la certeza de que el consumía cristal, aunque como actuaba daba a entender que sí. De tanto pensarlo le di la última oportunidad. Como pareja se estabilizó; inició un trabajo en un restaurante, las cosas marchaban bien: los dos trabajando. En lo económico estábamos mejor, empezando desde cero con mucho entusiasmo y esfuerzo para que no ocurriera lo que ya nos había sucedido anteriormente. Todo estaba marchando por buen camino, no así en nuestra relación de pareja. No volví a ser la misma; él trataba de ser cariñoso, pero ya no me nacía ser cariñosa con él; me daba miedo acercármele, no me sentía tranquila. Él no dormía mucho. Comenzó a salir mucho de la casa por la madrugada, yo salía a ver dónde podía estar, pero nunca lo encontraba; le pregunté a Lourdes si ella notaba algo extraño en Mauricio, solo comentó que los días de descanso él se la pasaba dormido todo el día sin moverse del sofá. No le di mucha importancia ya que cuando él descansaba podía dormir todo un día, siempre fue muy dormilón. Una vez estábamos comiendo y Mauricio le sirvió mucha comida en el plato al niño, yo le dije a mi hijo: "es mucho, deja te quito un poquito", y por eso Mauricio de repente me dio una cachetada, le reclamé y me fui al cuarto. El me persiguió y me tumbó, se subió encima de mí, yo empecé a gritar y salió mi amiga Lourdes, le dijo que me soltara. Mauricio se salió; luego me preguntó Lourdes "¿qué pasó?", le dije "no lo sé, solo le quité comida al niño de su plato y él me dio una cachetada". Esa cachetada hizo que sintiera como si mi corazón se quebrara, como si fuera de cristal, me dolió mucho el golpe, pero no el golpe en sí, sino la manera en cómo lo hizo.

Él dijo que cambiaría, que pondría de su parte, pero realmente no lo hizo. Dejó de trabajar porque decía que se le hizo muy pesado, que se cansaba mucho. Yo seguía teniendo dos trabajos. Dejaba a los niños con una niñera, ya que no confiaba en él. Dejó de ser lo que era antes.

Pasó lo que tenía que pasar: un suceso que jamás me imaginé que pasaría. Haría que una despertara y haría que todo cambiara de una vez por todas.

Teníamos planes de ir al mercado, los niños estaban contentos, nos estábamos alistando para salir, pero las cosas cambian de la noche a la mañana. Mi pequeño de tres años jugaba en el jardín esperando que saliera de la casa para irnos. Estaba guardando las cosas que necesitaba para salir: algunos cambios de ropa, pañales, etc., cuando de repente escuché que lloraba. Se cayó, se golpeó la cabeza, lo revisé y vi que estaba bien; solo había sido la caída, pero en el transcurso al mercado empeoró; lo llevé a emergencias; mi mamá me acompañó. Mauricio y la niña se quedaron en casa porque él no era paciente al estar en el doctor. Estando en el doctor se llevaron tiempo en darme respuesta, pero empezaron a hacer preguntas de cómo había sido la caída del niño. Me llevaron a la trabajadora social para verificar que todo había sido un accidente. Me dieron el resultado y el niño tenía una fractura interna; tenían que trasladarme a otro hospital para observación, ahí determinarían si necesitaba operación o no. Mi mamá se fue por la niña. Al niño y a mí nos trasladaron a un hospital especializado para bebés. Cuando nos trasladaban no me permitieron ir en la parte de atrás de la ambulancia con él; le pusieron algunas películas, caricaturas para que el viaje fuera más ameno, pero se empezó a desesperar; empezó a pedir ayuda; gritaba, buscándome; decía "mami ayúdame"; me rompía el corazón al escuchar sus palabras; me sentía impotente; le hablaba, le decía que estaba ahí con él, pero no me podía ver. El camino al hospital se me hizo largo, ya quería llegar para que él me viera y supiera que estaba ahí para él. Al llegar al hospital bajé, le tomé la mano, le dije "aquí estoy, no te voy a dejar, siempre voy a estar contigo"; se calmó, me tomó de la mano. Al fin se pudo tranquilizar.

Al siguiente día llegó la trabajadora social del gobierno a mi casa a hacer preguntas. Mauricio estaba en casa en esa ocasión. Le hicieron preguntas sobre el accidente de mi hijo, contó como habrían sido las cosas. Le preguntaron si consumía alguna droga y él dijo que sí, que consumía marihuana. Eso me preocupó bastante. Yo estaba en el hospital con el niño, la niña estaba con mi mamá. Duramos tres días, al salir del hospital la trabajadora social se presentó al departamento para hacer sus preguntas de rutina. Me volvió a preguntar sobre el accidente; observó todos los artículos de la casa, refrigerador, baño, vio que tenía medicina para dolor de espalda; me hizo muchas preguntas. Al terminar con su interrogatorio nos pidió que nos hiciéramos exámenes de drogas los dos. Del hospital llevé al niño con mi mamá, le pregunté si se podían quedar con ella para poder hacernos unos estudios que la trabajadora nos había pedido. Convencí a Mauricio de ir, porque estaba tan a la defensiva que no quería ir. Hasta le rogué para poder ir, traté de explicarle que era por el bien de todos. Al fin accedió.

El resultado fue fatal...

Al recibir los resultados, la trabajadora social me confirmó lo que ya me imaginaba: no solo consumía marihuana, si no metanfetamina (cristal) y cocaína.

Sentí cómo mi vida se venía abajo. Era un sentimiento de miedo al saber la verdad. La trabajadora social habló con nosotros. Ella sugirió que él entrara a un centro de rehabilitación, pero cuando fuimos a hablar con ella Mauricio estaba drogado, en pose de altanero, no escuchaba nada de lo que decía la trabajadora social, ella le sugirió repitiendo tres veces que entrara a un centro de rehabilitación, pero no aceptó; aludió que él solo podría dejar de consumir drogas a cualquier hora que él decidiera. Con esa actitud me amenazaron con quitarme a los niños. Me quedé fría al solo pensar en perder a mis hijos. Al desconocer sus adicciones yo ponía en riesgo a los niños. En ese momento no lo comprendía de ese modo. Él llegó a casa arrogante, insultándome, diciendo cada palabra ofensiva que salía de su boca: que yo era una perra, que todo lo que pasó era mi culpa. Ya no pude más, esta vez hice lo que debí de haber hecho hace mucho tiempo.

Me tardé en tomar la decisión. Sé que a pesar de tener la información y ver sus cambios, todo coincidía, pero no sé si mi amor por él me cegaba tratando de pensar que no era capaz de consumir drogas, poniendo excusas en mi cabeza, como nunca olí, nunca lo vi haciendo o consumiendo, nunca estuve realmente segura. Lo único en que estaba segura era que sus cambios de ánimo me daban miedo.

Pero al final tuve el valor de hacerlo.

Capítulo 6. FIN A UNA HISTORIA

Al escuchar esas palabras ya no pude más, sé que traté de ayudarlo, de estar ahí para él, de no desampararlo, de ayudarlo a no estar en la calle; no me merecía ninguna de las palabras que él me decía, al escucharlas sentí el impulso a decir "¿sabes?, esto no está funcionando, ya no puedo más, es mejor que te vayas de la casa, ya no se puede seguir así".

Lamentablemente tuvo que pasar el accidente de mi hijo para que yo abriera los ojos. Sé que me equivoqué mucho con él, sé que pensé que nuestra relación era buena y que valía la pena, pero me di cuenta de que lo que yo soñaba o pensé que tenía no era más que una idea ficticia creada en mi cabeza, él no supo ser leal a mí, no supo ser leal a sus hijos, no supo ser fuerte por ellos o sacarlos adelante, él decidió el camino fácil y simplemente jamás pensé que diría esto, pero me cansé de luchar contra la corriente. ¿Cómo vas a ayudar a alguien que no quiere ser ayudado, y si nosotros no lo motivamos a salir de ese estado, o no puede hacer un sacrificio, o esforzarse por estar bien, quién lo haría hacer que él reencontrara su camino? Solo Dios puede, porque por más intentos que hice no logré nada. Solo lágrimas.

Al siguiente día se fue de la casa. Me sentí aliviada, sin el temor a que a me hiciera algo o dañara a los niños.

Ya era mucha intranquilidad la que yo sentía. Soñaba que él me atacaba. No dormía con tranquilidad. Despertaba a cada instante. No tenía paz. Tenía demasiado estrés, preocupaciones, miedos. Aunque él estaba lejos de mi casa, no logré estar tranquila.

Mauricio ha de pensar que lo corrí, que lo quise apartar de nosotros, pero no es así. El amor se rompió no por infidelidad ni por falta de amor. Simplemente me cansé de ver que la persona que más me importó no pudo sacar a su familia adelante.

Desde enero del 2015 todo el año empezó mal. Yo sentía un amor tan profundo, más fuerte que nada, y aguanté demasiadas cosas. Traté de hacerlo feliz, luché por conservar la familia, pero él cada vez se veía más ajeno a nosotros. Yo vivía con mi mamá porque él decidió que eso pasara ya que él se gastó el dinero de la renta desaparecido una semana e inventando que lo habían asaltado. Yo no podía ofrecerle nada, solo el carro para dormir, pero él no lo valoró. Sé que las drogas son muy adictivas, quizás por eso los consumidores casi nunca quieren escuchar a las personas que les están dando un buen consejo. Aunque sientan que no es lo correcto siempre hacen a un lado a las personas que más los quieren: su familia, hijos, cónyuge.

A pesar de todo no siento odio hacia él, pero lamentablemente con todo lo que pasamos, el amor se fue acabando; por desilusión, abandono, violencia, insultos. Eso hace que el amor se vaya apagando poco a poco.

Al ver su cambio repentino todo cambió entre nosotros. Desde ahí ya no volvimos a hacer los mismos. Le tuve fe y esperé a que cambiara, pero fue en vano, todo salió mal, cada vez peor, hasta llegar a insultos, maltratos, golpes. Eso no fue lo que yo quería, sin embargo, todo salió de esa manera, hasta que me cansé. Surgió el rompimiento, la separación entre él y yo. El amor que pensé sería de por vida simplemente se desvaneció. Lo amé hasta que no pude más. Ahora nuestras vidas solo están en manos de Dios.

A pesar de decidir terminar con él y sacarlo de la casa, no me salvé de ser juzgada por los representantes del Gobierno, pues al saber el resultado fui negligente al poner en riesgo a los niños, porque él usaba drogas viviendo en la casa.

A veces pensaba cómo era posible que yo pasara por esto si solo traté de ayudarlo a salir del hoyo donde él entró. Cuando yo lo miraba en la calle durmiendo en las banquetas o árboles o donde fuera me sentía mal que a su edad estuviera pasando por eso. Yo no lo podía comprender. ¿Él con 26 años estar en esta situación? Me imaginaba que, si mi hermano tuviera esa edad y pasara por esa situación, yo querría que alguien lo pudiera ayudar en caso de estar solo y su familia lejos de él.

Cuando las trabajadoras de protección a la infancia empezaron a ir a mi casa investigando la relación, si en verdad él no vivía en casa o lo volvería a aceptar allí, me hacían muchas preguntas. Realmente todo esto pasó por algo. Al tomar malas decisiones aprendí de ellas. Mi intención siempre fue ayudarlo. Nunca pensé en el riesgo de los niños ya que yo los cuidaba, pero quién cuidaría de mí en un acto de locura. Aunque los niños estaban pequeños hay muchas cosas que no comprendía, pero realmente fui negligente. Vi por Mauricio para ayudarlo, pero no vi por la seguridad de nosotros primero. Antes de pensar en ayudar a alguien debí de pensar si no estaría poniendo en peligro las vidas de las demás personas. Fui ingenua en muchas cosas, pero esas son lecciones de vida. A veces tienes que pasar por tus malas decisiones para poder aprender de ellas. Por más dolorosas que hayan sido es mejor asumir las decisiones, ya que cada una tiene consecuencias y pueden ser para mal o para bien, pero siempre dar la cara a cualquiera de las dos.

Mauricio no aceptó muy fácil el no vivir en casa. Él se metía sin permiso por las ventanas. Ponía de pretexto que necesitaba ropa. Le explicaba que él no podía estar entrando a la casa, que había una prohibición de la trabajadora social y si lo descubrían me quitaban a los niños. Él no le dio la importancia. Yo tuve que llamar a la policía para que lo sacaran de la casa, esta vez no cometería el mismo error. Sin pensarlo, aunque me dolió, saqué su ropa, la puse afuera en un lugar donde él pudiera recogerla para que no siguiera buscando pretextos para llegar a la casa. Se enojó mucho conmigo, pero era algo que tenía que realizar. Esta vez era demasiado serio el problema para tomarlo a la ligera.

A los días me enteré de que lo detuvieron por posesión de drogas. Duró unos meses en la cárcel de Los Ángeles, el tiempo suficiente para que el caso avanzara y poder estar más

51

tranquila, aunque fuese de esa manera.

Capítulo 7. EL JUICIO

Desde que iniciaron los problemas con las trabajadoras sociales no tuve tranquilidad, ya que el proceso fue muy estresante. Estar disponible para que ellos fueran a mi casa a ver los niños, platicar con ellos, ver que todo estuviera en orden. Fueron 4 trabajadoras a hacer preguntas de todo tipo, del inicio de nuestra relación, los problemas que pudiéramos haber tenido, era un estrés constante. Me preocupaba la corte, el estar ahí, el motivo del cual sería juzgada, Mauricio en la cárcel; lo único era saber que él no iba a estar entrando a la casa a cualquier hora, tocarme la ventana de mi cuarto en la madrugada. Era lo único que ese momento me daba tranquilidad.

Llegó el momento más esperado, el día de la primera corte.

Antes de empezar, mi abogada me comentó que Mauricio estaría presente. Lo trasladaron directamente de la cárcel para que pudiera asistir.

Cuando entramos, vi que él estaba en un rincón esposado. Yo no quería que los niños lo vieran de esa manera. Gracias a Dios por el lugar donde estaban los niños no se dieron cuenta que él estaba presente.

Al comenzar escuché lo que escribió la trabajadora social. Me atacaron argumentado que fui negligente al dejar al papá con los niños estando él drogado. Me consideraron culpable por no haber cuidado a los niños. Aún no comprendía el porqué de la decisión. Pensé: "Dios, ¿qué hice mal? Solo quise ayudarlo y no desampararlo, ¿por qué en mí caen los problemas?, ¿por qué en mí caen los castigos por sus decisiones?"

La corte me permitió quedarme con los niños, pero estaban en observación. El Gobierno mantendría la custodia si en dado caso yo cometía un error. Fue un año y medio de incertidumbre, con miedo a perder lo que más amo en esta vida: mis hijos.

La decisión de esa corte fue: que tomara clases de Al-Anon, conferencias de padres, consejería.

Llegué a tomar cada una de esas clases. Al-Anon en lo particular no me gustó, no me sentí identificada. Sentí que el problema de mi esposo drogadicto no era tema para Al-Anon ya que en Al-Anon se identificaban más por familiares con problemas de alcoholismo, por lo que busqué otras opciones para las clases que la corte me había recomendado tomar.

Empecé a tomar clases de padres. Estas clases me

sorprendieron mucho. En lo general me ayudaron bastante, aunque tenías que sacar cada uno de tus sentimientos. Por más guardados que estuvieran te hacían recordarlos. Hubo varios ejercicios que me marcaron mucho en esas clases, uno de ellos fue que escribieras una carta a tu hijo y le expresaras cuánto lo querías, y pedir perdón por fallar y tomar malas decisiones. Debía de escribir lo mucho que me equivoqué. Tenía que pedir perdón por todo lo que pasó. Como dicen, por algo pasan las cosas y mi lección fue muy grande. En aquel entonces solo quería una familia, que mis hijos crecieran al lado de su papá y su mamá.

Mis padres se divorciaron cuando yo tenía 12 años. Me hizo mucha falta mi papá. Eso hizo que yo luchara una y otra vez para que a mis hijos no les pasara eso. Me enfoqué en luchar por Mauricio sin darme cuenta de que hubiera sido mejor haberlo dejado ir hace mucho tiempo, antes de que iniciara con sus adicciones e infidelidades, pero una tontamente enamorada quiere cambios, y esperaba que su amor fuera suficiente para que la familia fuera feliz, porque lo amaba demasiado y solo pensaba que yo podía hacer la diferencia en la relación. Claro que me equivoqué.

Así que mi carta para mis hijos no fue fácil de escribir. ¿Cómo podrías iniciar una carta reconociendo que te equivocaste?

"Queridos hijos: en estos años de sus vidas, 5 y 4 añitos, cómo me habría gustado haberles dado una vida de otra manera. Que estos años pasados hubiesen sido muy felices. Sé que me equivoqué por querer ofrecerles un hogar no apto para ustedes. Los metí en riesgo al no darme cuenta de las cosas, fui ingenua a un amor tonto que no tenía final, un amor que llevaba a hacer locuras sin medir consecuencias por tratar de ayudar a su papá. Los descuidé a ustedes pensando que yo los estaba protegiendo, pero realmente nunca lo hice. Desde el principio los llevé a una vida inestable, llena de cambios; a vivir en diferentes viviendas, sin nada que ofrecerles. No le daba importancia al dinero. Solo pensaba que

estábamos juntos; que eso era más que suficiente, y realmente no era así. Era importante estar juntos, pero con respeto, con amor, con apoyo de una pareja; con apoyo a los hijos. Ser pilares para el hogar y realmente no lo fuimos. El pilar mayor no supo ser pilar, su cimiento era débil; se dio por vencido una y otra vez, buscando solo lo fácil, lo que no era complicado, dejándonos en la incertidumbre. El segundo pilar, que era yo misma, por más que luché por sacarlos adelante, no supe ver en su momento lo que realmente importaba, solo me enfoqué en querer y tratar de apoyar a su padre, motivándolo, tratando de ayudarlo con su adicción, tratando de llevarlo a centros de rehabilitación. No encuentro la paz en mi interior. Aunque hayan pasado meses de todos los acontecimientos, aún no me perdono por haberles fallado, por tomar malas decisiones pensando que eran buenas. Sé que traté de ayudar a su papá, pero en el intento pude perderlos a ustedes. Eso me habría dolido más que nada en el mundo. No les pido que me comprendan. Solo les pido perdón por haberles fallado ya que ustedes son lo que más me importa en esta vida.

Sé que están pequeños. Aún no comprenden qué pasó o por qué papi dejó de aparecer en sus vidas. Me habría gustado jamás haberles dado esa desilusión o esa falta de padre. Sé que están pequeños, pero aún sé que lo extrañan, que lo poco que compartieron con él fue bueno y especial, que aún no recuerdan lo malo, pero aún estoy consciente que un día ustedes me juzgarán y llegarán a preguntar por qué se fue su papá. Tengo sentimientos de culpa que quisiera que en este momento me pudieran escuchar y poderles explicar y expresar todo lo que sentí en esa etapa; que me pudieran comprender y sobre todo perdonar por tantas malas decisiones, una y otra vez solo por ofrecerles un hogar con papá y mamá, cuando me di cuenta de que no *importa que el hogar esté incompleto, que un hogar lo hacen las personas que están ahí en ese momento. Mientras haya amor y respeto el hogar lo hacemos nosotros. Espero algún día escuchar de sus bocas que me perdonan por haberlos llevado por este camino y por tantos cambios que en su niñez debieron ser los años más felices".*

Eran ejercicios que dolían y a la vez sanaban un poco todos los sentimientos encontrados dentro de mi corazón.

La corte también me pidió asistir a clases de N. A. (Narcóticos Anónimos). Cuando llegué ahí, la verdad llegué con miedo. No sabía qué hacer ni que decir; el padrino (como le llaman al consejero) se portó amable y me hizo sentir bienvenida. Ellos no saben qué problemas tienes, por qué motivo vas; la mayoría que asistía a esas clases eran quienes tenían problemas crónicos que realmente habían cambiado o personas nuevas a las que les exigían asistir por medio de la corte. Realmente hay solo un cincuenta por ciento de personas que solo quieren cambiar porque se cansaron de esa vida. Ahí aprendí que las personas que consumen cualquier droga son personas que tienen carácter débil, no saben cómo controlar una situación difícil, no saben cómo confrontarla. Por ese motivo a las personas se les hace más propicio tomar el camino fácil, perderse en la fantasía, olvidar la realidad de sus problemas y todo alrededor.

El padrino siempre empieza con una oración al adicto y los 12 pasos de un libro que ellos manejan. Eso ayuda a abrir los ojos. Es la manera en que ellos actúan. El primer capítulo fue muy fuerte y doloroso para mí, ahí me abrieron los ojos, me di cuenta de todas las acciones que él hacía, la manera de mentir, sus cambios, cuando robaba. Fue como si me hubieran aventado un balde de agua fría. Me sentí la mujer más tonta del mundo por no haberme dado cuenta antes. Me dolió mucho cada letra, cada palabra. A veces me daba coraje con aquellos que no pudieron controlar la adicción y perdieron a su familia, trabajo, dinero, casa, hasta llegar al extremo de estar en la calle.

En la clase había hombres y mujeres. Las mujeres que consumían drogas perdían a sus hijos; al querer recuperarlos era más difícil porque tenían que demostrar que ya no consumían, que estaban haciendo lo que la corte les pedía. No es un procedimiento fácil. También me di cuenta que para una es difícil salir adelante y poder arreglar problemas cotidianos, pero para ellos es el doble de difícil. No se puede juzgar a las personas. Cada uno carga con su cruz. Cada uno tiene sus problemas. Cada uno los enfrenta de diferentes maneras. Ellos todavía están tratando de superarlo y hacer el cambio por ellos y sus familias.

Al principio sentí coraje porque el amor que pensaba que era el amor de mi vida prefirió las drogas a nosotros, cómo nos abandonó, el ver que mis hijos no lo motivaron a salir de ese mundo siendo ellos los que me hicieron salir adelante una y otra vez. Sentía mis pensamientos descontrolados, mi corazón muy confundido. El hablar ahí era sin compromiso; a veces hablaban de como salieron de su adicción y lo que pasaron para motivar a los muchachos que a diario ingresaban ahí. Otros mencionaban porqué empezaron las drogas. Yo escuchaba atentamente para aprender a ver cómo actuaban, que eso es lo que la corte quería que hiciera para proteger a mis hijos: aprender de ellos para que cuando el papá llegara o alguna otra persona que se acercara, yo pudiera identificar de inmediato si habían consumido alguna droga.

Un día decidí hablar, expresé cada detalle que pasé con la adicción de Mauricio. Al escucharme entendieron porque yo estaba ahí. El padrino dijo que al fin entendió porque estaba ahí, porque yo no me veía que consumía droga. Ellos se conocen. Tanto el que consume marihuana, coca o cristal, se identifica. Cuando hablé de lo sucedido, yo estaba del otro lado, de la otra moneda. Ellos hicieron el daño a sus familias y esposas, yo representaba a sus esposas, las cuales nunca supieron lo que nosotras sentimos, lo que una como esposa tiene que callar, lo que una llora por ellos. Ellos nunca se dieron cuenta porque solo se dedicaban a consumir y cuando están drogados nunca escuchan, no se dan cuenta de nada. Siempre me quedé con la duda de saber qué fue lo que lo llevó a consumir, ¿acaso la falta de amor, falta de dinero; se habrá sentido presionado al no poder con los gastos de la casa; no era feliz; quizá ya no quería estar con nosotros?: no lo sé; son muchas dudas que aún no puedo responder.

Sé que hay personas que no se dan cuenta del daño que hacen cuando consumen drogas. Dejan muchas cicatrices que ni con una pomada se quita. Las palabras no se borran. El ver a los ojos de la persona que amas viéndote con ese odio que no sabes si vas a despertar mañana porque ellos ven otras cosas, alucinan cosas irreales, piensan que los engañas con otras personas; no escuchas ni una sola palabra bonita; cada palabra que sale de su boca son ofensivas, que te lastiman más que una cachetada; que no entiendes por qué te lo dicen. Te pones a pensar si te mereces cada una de ellas. Te dañan en todos los aspectos: física, psicológica, moralmente, hasta sentirse que no vales como persona, que como mujer no eres suficiente. ¿Qué más puedes pensar, si tú no sabes que está pasando? No comprendes nada, todo es una confusión. Lo único que una entiende es que duele cada acción. Sientes una desilusión, una tristeza profunda al ver que los dos están en diferente lugar; que una quiere una familia y el otro solo quiere ser feliz y sentirse superhombre a costa de quien sea.

Mi caso duró abierto un año y medio. La corte no quería cerrarlo hasta no estar segura de que yo protegería mejor a los niños, qué pensaría dos veces antes de regresar con el papá de los niños.

Las veces que fuimos a la corte solo era complicación. Aunque yo hiciera las cosas que me estaban pidiendo aún no estaban seguros de cerrar el caso. Ellos dudaban que si cerraban el caso yo regresaría con Mauricio. Por diferentes razones no se cerraba el caso. La trabajadora social pensaba que ya no había ningún motivo para que siguiera el caso. A Mauricio le pidieron lo mismo que a mí, pero antes tenía que entrar a un centro de rehabilitación y de ahí no podía salir, solo llamar de vez en cuando. Para mi sorpresa él llamaba frecuentemente, ya estaba limpio sin consumir drogas, pero fue muy doloroso porque él estando coherente me hablaba de nosotros diciendo que me amaba, que era la mujer de su vida, que quería que le preparara algo especial cuando él saliera de rehabilitación. Él estaba actuando como si nada hubiese pasado, pensando que todo seguía normal, que aún éramos pareja, aunque otras veces también llamaba para recordar cosas echándome en cara que saqué sus cosas de la casa, juzgándome; le dije que era algo material, que era necesario ya que no comprendía que era importante que dejara de ir a la casa tan frecuente; que ponía en riesgo a los niños ya que para la corte era importante que mantuviéramos distancia.

Yo no podía comprender, cómo olvido todos los malos momentos, cada detalle que pasamos, como si cuando estaba drogado perdiera la noción del tiempo, cómo era posible que haya olvidado todo, como si la droga lo hiciera fantasear y pasar por situaciones diferentes; y estando limpio sea la persona que era: pensando en casarse conmigo, diciendo que me extrañaba, que extrañaba a los niños, pero siempre se enfocaba en nosotros como si a veces los niños no estuvieran, solo importándole estar a mi lado. Le pedía que cambiara por los niños, que él estuviera cerca de ellos, solo contestaba "yo siempre voy a estar ahí para ellos". Sus llamadas eran solo para recordar el pasado, no dejaba sanar las heridas. Para mí era difícil poder perdonar y olvidar tan fácil todo lo que pasó.

Él seguía en rehabilitación. Aún no habíamos bautizado a mi princesa; se dio la oportunidad de poderla bautizar ya que venían unos parientes de México; le pedí a la trabajadora que hablara con Mauricio para ver si podía asistir a la misa. Solo sería la misa, no fiesta ni algo grande, ya que no eran momentos para festejar. Solo quería poder bautizar a mi princesa. La trabajadora fue a hablar con él, pero lo tomó tan mal que se salió de rehabilitación para poder venir a casa solo para regañarme que no era momento de hacer fiestas ya que estábamos pasando momentos malos. Traté de explicarle la razón por la que se estaba realizando el bautizo; se molestó tanto que vino a buscarme esa noche, yo me encontraba trabajando; la persona que cuidaba a los niños me llamó asustada diciendo que el papá de los niños estaba ahí, que me esperaría fuera de la casa; cuando llegue él estaba molesto; me empezó a reclamar que no era momento para hacer fiestas, traté de explicarle el motivo pero no quiso escucharme; empezó a reclamar cosas; le pregunté "¿por qué te saliste de rehabilitación?, sé que buscaba pretextos; se dio cuenta que todavía trabajaba en el bar, eso hizo que se molestara más. Me sentí decepcionada de él, no podía comprender que necesitaba trabajar y sacar a los niños adelante. Él me había dado un anillo que yo había conservado, en ese instante sentí que ya no tenía por qué tener un objeto así si él no podía comprender mis motivos. Le dije que luchara por los niños, que saliera adelante por ellos, pero él solo decía "sin ti no quiero nada, si no te tengo a ti no quiero nada". En cierta parte me sentía chantajeada, era como si expresara que él estaría con los niños solo si yo estaba con él, de lo contrario él se alejaría. Luego supe que se había salido de rehabilitación quedándose en la calle otra vez.

A los pocos días lo agarró la policía por la misma razón: posesión de drogas. Para el caso no era bueno ya que ellos veían que no tenía ningún compromiso de cambiar por los niños. El caso duró tiempo en terminar. Él tuvo la oportunidad de cambiar, entró a varios centros de rehabilitación. Mientras estaba en la cárcel lo contactó una excompañera de su trabajo; tenían buena amistad; su nombre era María, le brindó su ayuda, ella también trató de llevarlo a centros de rehabilitación. Al principio los mismos cambios. Entregado, había cambios positivos: ayudaba a otras personas, pero al tiempo tenía problemas y lo sacaban del programa; me volvía a buscar, pero yo no le podía ayudar como él quería, así que lo llevé a otro centro de rehabilitación, pero siempre era lo mismo: al principio buenos cambios, después malos; empezaba a perder el control, tenía relaciones con las mujeres del centro, se peleaba con ellas; al final lo expulsaban del lugar. Entró al último centro, pero esa vez no quiso entrar como interno sino como si tuviera una membresía: solo podía pasar la noche, pero a las siete de la mañana ya se tenía que ir; no tenía ningún lugar estable. Le ofrecieron trabajo, empezó a trabajar de noche en una fábrica, al parecer estaba contento, ahí empezó a tener amigos; a veces me pedía que fuera por él, a veces me decía que ya tenía quien lo llevara a casa; cada fin de semana trataba de ir al centro, pero a veces no salían las cosas como una las planea. En junio del 2016 se iba a realizar el día del padre, ese día traté de llamarlo a su celular; llamé al centro de rehabilitación, pero no se encontraba ya que tenía días sin llegar al lugar. No sabía dónde lo podía encontrar.

A los días recibí una llamada de la cárcel, otra vez lo habían aprehendido. Estuvo varios meses preso. Cada vez que él se encontraba preso sentía un alivio porque sabía dónde estaba; me sentía tranquila porque él estaba en un lugar seguro.

Cuando él se encontraba en la cárcel estaba sin consumir drogas.

Nos escribía cartas, unas cartas que cada vez que las leo no puedo contener mis lágrimas. Son palabras que me habría gustado escuchar hace mucho tiempo, no cuando ya es tarde.

Pero las respuestas que esperé escuchar llegaron después de muchos años. Escuché su verdad, del porqué empezó a consumir y el motivo del porqué no pudo dejar de consumir.

Estas fueron sus palabras.

Capítulo 8. SUS EMOCIONES ESCRITAS EN CARTAS

Agosto del 2016.

"Hola, chaparrita hermosa. Perdona que después de tantos años que no te escribo ahora esté tratando de expresarme contigo a través de una carta. Me siento súper raro porque nunca le había escrito a nadie, pero ya vez, por ti siempre termino haciendo lo que supuestamente nunca haría, pero, en fin, la razón porque decidí escribirte es porque ya no aguanto más las ganas de expresarte cuánta falta me haces. Yo sé que tal vez fui la persona menos indicada que pudiste elegir en tu vida, por la forma que me he portado contigo y tal vez nunca volvamos a estar juntos por el resto de nuestras vidas, pero todo este peso que traigo conmigo ya no lo soporto y tal vez después de que leas un poco de todo lo que ha pasado conmigo tal vez me comprendas un poco y me perdones porque yo sé que ya es muy tarde para remediar todo este daño que te he causado, así como el daño que te causé agrediéndote o insultándote, etc. La verdad es que nunca fue mi intención y terminé dañándote en todos los aspectos, pero créeme que cada día me siento como el hombre más repugnante del mundo por no haber sabido actuar en cada mal acto que cometí.

Cuando por primera vez nos conocimos, desde que te miré me gustaste mucho por ser la niña bonita que eres. Me fascinaste. Cuando empezamos a hablar me enamoré por completo de ti. Después cuando nos juntamos por primera vez me recuerdo que habías discutido con tu mamá y no tenías dónde ir y yo te pedí que te fueras conmigo en lo que arreglaras las cosas con ella. Después de transcurrir varios días te empecé a querer más, pero como todos me decían que estaba cambiando mucho y como tú sabes que siempre he sido bien revoltoso, yo no quise sentar cabeza porque, aunque ya te amaba mucho aún no quería vivir en pareja con nadie y se me hizo que, si yo seguía actuando de la misma forma que yo era antes, tú ya no te ibas a ir de mi lado, aunque tal vez era lo que yo quería en realidad. Mi mente tonta y mis acciones terminaron alejándote de mi lado. La verdad me hiciste pasar los momentos más maravillosos de mi vida, pero a la vez yo no quería perder todo lo bueno que estaba obteniendo en ese momento.

Tú sabes que tomaba mucho y era súper mujeriego porque tal vez nunca me había enamorado de alguien o al menos encariñado con alguien, y me daba lo mismo sustituir una mujer por otra. En fin, cuando me diste la noticia que estabas embarazada no quería vivir contigo por no quererme acostumbrar a ti. Tú me hacías sentir algo diferente, pero no sabía qué era; pero ya vez: terminamos viviendo juntos.

Tal vez mi cansancio del trabajo, estrés de no tener suficiente dinero para darte lo que te merecías, que tal vez me portaba indiferente contigo, pero aun tú sabes que trataba de echarle ganas al trabajo para sacarte adelante a ti y a los niños, pero traté lo mejor que pude y todo marchaba bien con poco o mucho, pero estábamos saliendo adelante, eso hasta el día que me desaparecí la primera vez.

Fue cuando me asaltó la Mara Salvatrucha. Estaba comprando un café cuando 4 personas me asaltaron, me robaron el dinero que tenía para poder pagar la renta, me golpearon. Estaba inconsciente, no tenía nada para identificarme, ni teléfono, ni dinero. Yo estaba muy contento porque ya tenía lo que faltaba para pagar la renta del apartamento. Me trataron de ayudar, solo me sentí, empecé a recordar, me dio depresión, no supe que hacer. Empecé a caminar con lágrimas en los ojos, confundido, reclamando a Dios por qué siempre me salen mal las cosas. No quería llegar a ti con las manos vacías porque yo sabía que estaba haciendo muchas cosas mal y tú ibas a interpretar otras cosas. Fui a tu casa, me arrestaron.

Desde entonces empecé a consumir cristal, que fue lo que

terminó conmigo. desde entonces no trabajo, te he ofendido verbalmente, pero es porque esa maldita droga altera mis nervios, me hace acelerarme mucho por tu trabajo, porque la niña hermosa de la que me enamoré ya no me mira con los mismos ojos; piensa que todo lo que hago está mal, piensa que la golpeé a propósito. Yo sé que tal vez tú tienes toda la razón, pero yo no te odio. Si te he ofendido miles de veces no lo hice con la más mínima intención, si te he tocado ha sido por desesperación, pero nunca lo quise hacer y si te abandoné varias veces es porque te amo con todo el corazón y no sé cómo tratarte. Yo entiendo mis faltas de apoyo con dinero, pero estas malditas drogas y este corazón completamente enamorado de ti me trastornaron y no sabía qué hacer en ocasiones. Por eso huyo de ti, pero ya no puedo más. Te amo con todas mis fuerzas. Cada instante me brillas mis ojos de alegría. El corazón me palpita y siente bonito. Eres lo más lindo que me ha pasado en la vida. Eres el amor de mi vida. Te amo.

Le pido a Dios que te bendiga, te proteja, te cuide. Espero en Dios te ponga en tu camino todo lo que te mereces, mi niña hermosa".

Septiembre 6, 2016.

"Hola, chaparrita hermosa. Perdón por no escribirte. Sabes que soy muy orgulloso. Esperé que tú escribieras primero, pero no fue así.

Solo quería que supieras que te extraño. No hay un día que no piense o suspire por ti. He soñado contigo y los niños, He tenido sueños muy bonitos. Aún me lleno de ilusiones pensando y planeando estar junto a ustedes, pero las cosas desgraciadamente entre tú y yo no han estado bien, todo por mi culpa. Sé que es muy difícil que me comprendas por todas las tonterías que siempre he cometido, pero créeme que la enfermedad de mi adicción ya me está arrastrando demasiado lejos y siempre te he dejado sola sin ningún apoyo de mi parte; pero créemelo que yo también estoy solo, hay una gran vacío en mí porque no te tengo y me ha tocado pasar muchas etapas de mi enfermedad solo; yo sé que tú siempre mes has apoyado en cada momento, pero yo no he sabido dar cuenta o apreciar todo lo que haces por mí, pero solamente alguien que ha pasado lo que yo he pasado me puede comprender. Es muy difícil de explicar. La verdad no sé cómo, pero solamente quiero que sepas que esta vez no me arrestaron, prácticamente me salvaron. Aquí estoy sentado, pero feliz porque estoy sin drogas, planeando nuevas cosas para cuando salga de la cárcel.

También quiero decirte que yo soy inocente de lo que me acusan. Tal vez no va a ser tanto tiempo el que voy a estar adentro pero no importa si estoy lejos o cerca: tú estás en lo más profundo de mi corazón.

Aunque tú te portes indiferente, yo sé que en lo más profundo de tu corazón aún me amas. Tal vez no lo quieras demostrar porque tú sigues esperando un cambio en mí, créemelo que lo mirarás. Yo sé que tal vez es un poco tarde, pero, así como el amor que le tuve a la droga que me hizo hacer todo para alcanzarla, también el amor que existe para ti y mis hijos es muy grande, mucho más grande que estoy dispuesto a hacer de todo para recuperarlos. Tú sabes que yo no soy mal padre y tampoco mal esposo; solamente me he equivocado en mis decisiones, pero he aprendido de ellas y lo único que no he aprendido es a estar sin ti y mis hijos.

Si aún te queda un poco de amor por mí no me niegues la oportunidad de amarte. Esta vez será diferente si aún tú lo deseas, al igual que yo. Aún podemos estar juntos.

Te amo".

Septiembre 23, 2016.

"Queridos hijos de mi corazón: reciban un saludo cordial de parte de papá. Espero se encuentren bien, de todo corazón, ya que son mis más grandes deseos. Esta carta está escrita especialmente para ustedes, para poderles explicar múltiples veces de mi ausencia en su más linda etapa, en la que ustedes estaban creciendo, en las cuales me llegaron a pasar consecuencias jamás deseadas y fui arrastrado a vivir y pagar por cada una de esas consecuencias cometidas por mi persona. Antes de comenzarles a explicar quiero que los dos estén presentes y puedan leer esta mi carta juntos como buenos hermanos.

Es un poco complicado para mí tratar de relatar todo lo sucedido ya que tengo tantas cosas en mi cabeza que no sé por dónde empezar. Ya llevo varias líneas casi sin explicar nada.

Todo comenzó cuando yo tenía 20 años. Conocí a la mujer más hermosa que nunca había conocido en mi vida. Solamente bastó una mirada de sus lindos ojos claros que me enamoraron e iluminaron mi vida. Yo siempre he sido un hombre muy complicado pues mi madre me dijo que había salido igual que mi padre de problemático y mujeriego. Siempre fui un hombre feíto pero con mucha suerte y esa suerte me llevó a tener la dicha de que su mamá fuera mi novia, pero a pesar de que ella me trató de una forma especial y me entregó su vida y amor, yo no la valoraba; le fui infiel múltiples veces las cuales ella por amor a mí siempre me perdonó, y un día no esperado me dio la gran noticia de que ella estaba embarazada de nuestro primer hijo que fuiste tú, Marco, y terminamos juntos en un apartamento que ella agarró para los dos: para mami y para ti ya que te encontrabas en su vientre.

Llegó el día que naciste, un 21 de noviembre del 2011. Tú, hijo mío, me trajiste la más grande alegría en mi vida por ser varón. Tenía mucho miedo y nervios cuando naciste. Tú mamá me pidió entrar a la sala de partos donde naciste. Me daba pánico, pero me llené de valor; entré, te miré nacer; yo fui el primero que te cargó, te di tu primer baño, te cuidaba a ti y a tu mamá en lo que salíamos del hospital. El tiempo siguió pasando y tú creciendo; no podía esperar, tenía ansias de que el día de trabajo se terminara para poder llegar a ti y cargarte, disfrutar de cómo tu madre nos miraba jugar y sonreía. Cuando tú apenas tenías un mes nos llegó la gran noticia que tu mamá estaba embarazada por segunda vez. Fue muy complicado y hermoso porque fue un embarazo de alto riesgo.

A todo mal pronóstico tu hermanita Yunuet nació el 28 de septiembre del 2012. Nació mi segundo angelito convertido en una hermosa niña que siempre será mi princesa. Al principio pensamos que Marco iba a estar un poco celoso porque él estaba muy pequeño cuando nació Yunuet, pero no fue así, se llevaron muy bien, como si fueran gemelos. Yo era el papá más feliz de mundo, creo que su mamá también era muy feliz, aunque con muchos problemas económicos por mi culpa, pero su mamá y yo hemos sido muy felices. Disfruté cambiar pañales, mirarlos aprender a caminar, hacer cada travesura.

Cuando eran bebés fui invitado a probar la droga, lo cual en mi orgullo de hombre pensé que iba poder controlar, lo cual terminó por arrastrarme una y otra vez a estar haciendo cosas sin sentido, que eran no dormir, gritar. Pensé que era superior a los demás, a no llegar a casa, en ocasiones mentirle a su mamá, robar a su mamá, ser infiel; a insultarla, golpearla. Un día los abandoné como un cobarde, porque la droga se adueñó de mi alma y mi espíritu. Me perdí en ella, su mamá trató de recuperarme. Ella los sacó adelante a como pudo. En ocasiones múltiples ella me pedía que regresara y tratara de pedir ayuda, pero yo como todo lo sabía, no aceptaba ayuda de nadie. Ella y ustedes se habían convertido en un estorbo para mí porque no me podía drogar en su cara. Nunca hice caso y seguí mi camino de *drogadicto en la calle. Pasaba semanas sin comer. Robando para conseguir mi droga y seguir haciendo cosas sin sentido me llevaron a caer múltiples veces en la cárcel, las cuales apenas salía y otra vez ya me estaba drogando. Estar bajo el efecto me hacía olvidar todo, hasta de mí mismo, de todos los problemas que estaban a mi alrededor, porque yo pensaba que lo disfrutaba, que era más hombre, que lo sabía todo, que solamente yo tenía la razón y que el mundo estaba equivocado; aun así su madre me seguía buscando; ella quería que yo me recuperara pero cada vez la humillaba e insultaba, lo cual empezó a matar la fe que ella me tenía, el amor que ella sentía por mí, pero yo no me daba cuenta; aun así ella me buscaba para que yo siguiera mirándolos a ustedes. Pero un día yo empecé a darme cuenta de lo equivocado que yo estaba porque nunca había vivido la vida miserable que estaba viviendo en esa etapa y me di cuenta de que en realidad estaba encerrado en una esfera invisible la cual me hacía reflejar una realidad falsa. Empecé a buscar ayuda, me metí a centros de rehabilitación los cuales me dieron el apoyo, duraba corto tiempo sin drogarme, pero otra vez volvía a drogarme; caminaba día y noche, hablaba solo y muchas cosas más. Ahora es más complicado porque ya era un drogadicto crónico, lo cual quiere decir que no importaba la cantidad de droga que consumiera o tuviera; siempre quería más. Seguí metiéndome en otros centros de rehabilitación en otro par de veces, entre más pasaba encerrado ahí sin drogarme, las ganas y la ansiedad de drogarme eran menos. Cuando su mamá y ustedes iban a verme, otra vez ese hombre que había sido perdido y arrastrado a una realidad falsa volvía a vivir, a una realidad verdadera al estar a su lado y al lado de su madre por corto tiempo que ella permitía. Yo no me daba cuenta que ella aún quería ver a sus hijos felices con su papá, pero yo ya casi había matado el amor que ella me tenía por completo, después de tantas veces que yo le fallé; y una vez que yo logré salir del último centro de rehabilitación, empecé a trabajar; empecé a mirarlos más seguido, pero otra vez fui arrastrado, me volví a drogar nuevamente, me perdí en la calle, empecé a hacer peores cosas que antes, me desaparecí pero me di cuenta de que ahora me estaba drogando contra mi propia voluntad y aun estando drogado ustedes y su mami eran mi verdadera felicidad. Ya no podía vivir sin ustedes; empecé a implorar a Dios que me ayudara, que yo estaba viviendo en un mundo equivocado, que por favor se apiadara de mí, que me ayudara a tapar ese hoyo en mi alma y corazón, que me ayudara a parar definitivamente de drogarme y hacerme daño. Dios todo bondadoso se hizo presente. Caminé deseando que me arrestaran para que yo pudiera parar, solo estando en la cárcel podía estar tranquilo sin drogarme, ya tenía una semana sin comer, mi estómago me dolía, traté de entrar a una casa y robar, pero no puede robar nada; algo me dijo que no lo hiciera. Cuando salí de la casa me esperaba la policía, volví a caer preso, esta vez fue gracias a que Dios me escuchó.*

En el reporte de la policía dicen que yo estaba desnudo sin poder respirar, la casa tenía veneno pues había sido fumigada unos días antes. Si la policía no llega me hubiera muerto. Gracias a eso empecé a recuperar la fe en Dios. Me he dado cuenta de cada error y tontería que hice y lo poco hombre que fui al abandonar a esa mujer y sus hermosos hijos que Dios me regaló, pues ustedes tres son lo más lindo que he tenido en toda mi vida y yo sé que me he perdido de muchas cosas al no estar junto a ustedes.

No sé si algún día, pronto o lejano, Dios me brinde la oportunidad de seguir junto a ustedes. Lo único que pido, por favor respeten y cuiden a mami pues ella siempre fue una santa y trató de mantenernos juntos.

Queridos hijos de mi corazón: quiero que sepan que son los dos orgullos más grandes que Dios Todopoderoso puede regalarle a un padre, tener hijo con el verdadero amor de su vida. Solamente nuestro padre Dios sabe por qué hace las cosas. Yo siempre los voy a tener a ustedes en lo más profundo de mi alma y corazón. Los amo y siempre los amaré.

Que Dios me los bendiga y acompañe siempre. Perdónenme por todas mis faltas cometidas.

Los Amo".

Al leer sus cartas comprendí un poco sus sentimientos. Si esas cartas hubiesen llegado antes de pasar por tanto daño creo que habría sido una diferencia grande. Tal vez podíamos cambiar un poco esta historia, pero tardaron en llegar y el daño ya estaba hecho.

Capítulo 9. UNA NUEVA OPORTUNIDAD

El caso finalmente se cerró en enero 2017. Me dieron la custodia total de los niños. El papá solo puede verlos una vez por mes por una hora. Si él deseara verlos más frecuentemente tendría que cumplir todos los requisitos de la corte y seguir con los programas asignados. Desde que empezó el caso solo ha estado en la calle consumiendo drogas y visitando las cárceles de California. Solo en un momento trató de cambiar, de estar en centros de rehabilitación sin ningún éxito, él simplemente nunca hizo ningún programa con conciencia a hacer un cambio, aún no está listo para realizarlo ya que su adicción es muy crónica, ya se hizo dependiente de la droga para poder sentirse bien. En junio del 2016 fue la última vez que los niños lo vieron junto con las trabajadoras sociales, de ahí no volvió a aparecer.

A veces siento que hice mal en cansarme y no luchar más por él, pero mi corazón estaba muy dañado, estaba muy herida. Él solo se dedicó a que yo lo fuera sacando de mi corazón; no fue tan sencillo, pero lo que hizo que yo lo sacara de mi corazón por completo es ver que no hizo nada por recuperar a los niños, dejándome la responsabilidad de luchar por ellos, sabiendo que él tenía la culpa por sus acciones, y yo, por quererlo ayudar, me llevó arrastrando con sus problemas. Pensaba si habría hecho lo correcto al cansarme de esperar, cansarme de luchar por él. Hice mal en no seguir ayudándolo, pero si lo ayudaba me quitaban a los niños. Preferí a los niños, ante todo, ante que lo amaba demasiado, preferí a mis hijos.

En este tiempo que pasó el proceso aprendí muchas cosas. Aprendí a valorarme como mujer, a perdonarlo, a olvidar, a sanar heridas, a comprender cada paso que se tomó. Me di cuenta de que nuestra relación hace muchos años dejó de ser relación desde que él se fue de la casa la primera vez, donde inventó el robo y los golpes, donde permitió que nos corrieran de la casa gastándose el dinero de la renta. Ahí fue donde me di cuenta de que nuestra relación había terminado. Sé que regresaba, se desaparecía. El amor que yo sentía por él cada vez se iba terminando. Cada situación, el abandono, la desilusión, el maltrato, los engaños, los robos, sus adicciones, los amigos, todo tuvo que ver para que dejara de amarlo. Sé que a veces a lo lejos lo recuerdo. El amor que le tuve no fue algo insignificante. Puedo decir que fue el amor de mi vida. Recuerdo cómo jugaba con los niños. Cuando llegaba de trabajar como se desvivía por ellos. Los trataba como hermano. Jugaba con ellos como si fuera otro niño en la casa. Esos recuerdos también duelen. Cómo se puede perder cada detalle de los niños, las ocurrencias que dicen, los cambios.

Tal vez si hubiera querido estar con nosotros, tal vez hubiera sido feliz con los niños, o tal vez nunca fuimos lo suficientemente grandes para llenar su corazón.

Desde que conocí a Mauricio lo vi como el padre de mis hijos. Pensé que solo sería un sueño, pero se hizo realidad. Sé que luché desde el principio para que estuviéramos juntos, perdoné cosas que otras personas no lo harían. Solo soñaba con tener una familia, un hogar. Nunca pensé que nuestra relación terminaría de esta manera. Nunca vi nuestro final, hasta este momento. Aun dentro de mí sentía que faltaba poco para que él se estabilizara, pero se dio por vencido. Ahí comprobé que no era de esa manera. No puedo juzgarlo ni tampoco justifico las razones del porqué no luchaba o no seguía adelante. Solo él conoce esas respuestas; solo están en su mente y corazón.

Mauricio en vez de luchar por sus hijos se alejaba más y más. Sentí que ya era momento de romper todo lazo. Siempre estuve disponible para ayudarlo. Estuve ahí en sus berrinches, en sus pleitos. Tenía que ir por él cada vez que lo corrían de un centro de rehabilitación. Se volvió como mi responsabilidad, pero aún el no hacía nada para mejorar su situación. Siempre vio todo como un juego. Se reía que lo provocaran. Se reía de los chismes que decían de él; siempre los negaba. Al ver y comparar una de las situaciones comprendí que ya no quería eso para nosotros. Tener esa intranquilidad de saber si realmente cambió, o si lo va a volver a hacer, o nos volvería a abandonar. Ya no quise arriesgar a mis hijos; necesitábamos una estabilidad, saber que podíamos sentirnos seguros, saber que alguien daría la cara por nosotros, saber que alguien realmente me va a apoyar; sobre todo saber que nos van a querer y a valorar. Mis hijos se merecen la oportunidad de tener un hogar, una figura paterna.

La última vez que vi a Mauricio fue saliendo de la cárcel. Me pidió de favor que le llevara ropa, y lo hice; quien hubiera imaginado que ese día que lo vi sería el último día que lo volvería a ver.

Han sanado muchas heridas. Lo que me lastimaba ya sanó. No lo odio ni siento rencor. Trato de entenderlo, pero a pesar de todo lo que pasamos volví a nacer, no sé en qué momento perdí mi esencia o la persona alegre que fui. Sé que tuve que ser fuerte para pasar todo este proceso. No fue fácil: lloré muchas veces en silencio, esperé muchas veces apoyo de mis amistades, pero las circunstancias me hicieron fuerte para sacar a mis hijos adelante. Me volví mujer, aprendí a valerme más, al verme al espejo y sentirme orgullosa de mí, me di cuenta de lo que una es capaz de hacer por los hijos. Tuve que madurar el doble para analizar mejor mis pasos y no cometer los mismos errores. No me arrepiento de nada de lo que hice. Sentí que hice bien en tratar de ayudar a una persona. Para la próxima voy a tener más cuidado en cómo poder ayudar a alguien sin lastimar ni dañar a las personas más queridas. Sé que actué muchas veces por impulso, otras a pesar de pensar y analizar las cosas. Siempre aceptaba su regreso, ahora me siento más capaz. Mi corazón está más fuerte, más seguro. No soy esa muchacha que se enamoró, que perdió la cabeza por un muchacho que nunca la valoró. Ahora sé que no se necesita tener a una persona para que te valoren o esperar que te quieran como tú quieres. ¿Por qué pedir limosnas cuando habrá alguien que te dará todo su amor?

Antes de amar a otras personas o tener pareja sentimental, aprendí a amarme primero yo antes que a otra persona. Encontré la seguridad que me faltaba, me encontré a mí misma.

En mi caso, después de años encontré paz, encontré tranquilidad. Me siento segura. Apareció un hombre que me quiere, que me ama, que me respeta; quiere a los niños; no pensé que encontraría a alguien, solo pedía a Dios que me diera la oportunidad de tener a un hombre que nos quiera, que nos respete, eso es lo único que pedía.

Dios me dio la oportunidad de encontrarlo. Después de varios años de mi separación con Mauricio, apareció Armando, un hombre sencillo, que quiere formar una familia, que me quiere, que está dispuesto a estar ahí para los niños; darnos el apoyo que siempre pedimos. Quise cerrarle las puertas al amor por miedo a sentir lo mismo, a que me defraudaran, pero vi cómo él era conmigo: paciente, tolerante; estaba dispuesto a esperar a que yo estuviera lista. Me demostraba constantemente su cariño, sus detalles fueron conquistando mi corazón. Hasta el día de hoy sigue siendo parte de mi vida. Una luz al final del túnel.

A diferencia de Mauricio, mi vida se estaba arreglando. No puedo decir lo mismo de su vida. Me habría gustado que hubiese sido diferente.

Capítulo 10. EL FIN DE TU HISTORIA

Pasaron más de tres años sin saber de Mauricio. La única manera de saber si se encontraba bien era buscando en la cárcel. Por varios meses busqué, pero no se encontraba en la cárcel. Pensé que estaría mejor. Me daba gusto que no se metiera en problemas, aunque a veces se me hacía raro que no se supiera nada de él.

La familia de Mauricio preguntaba por él, pero no era fácil poderlo buscar en la calle. Él podía estar en cualquier parte; así estuvimos por varios meses esperando a que se supiera algo, pero nada.

Hasta que un día me llamaron de México. Era el hermano de Mauricio, me preguntó si sabía algo de él, le respondí que no. La verdad tenía tiempo sin saber de él, y fue cuando me comunicó que a ellos los llamaron del consulado de México para informarles que Mauricio falleció y necesitaban reclamar su cuerpo. Me quedé helada. No sabía que decir. Solo se me ocurrió correr a mi casa, llamar, investigar donde lo podían tener. Nadie me daba la información, hasta que llamé al lugar correcto, me dijeron: "aquí está".

Pregunté con lágrimas en los ojos "¿qué paso?" Y me respondieron: "trató de robar cobre de una avenida y se electrocutó". No lo podía creer. Colgué, llamé a su familia, les informé lo que había pasado, tratamos de hacer los preparativos para enviarlo a México ya que su familia lo quería tener allá después de muchos años sin verlo. Lo recibirían así.

Cuando comenzaron los trámites administrativos para mandar el cuerpo a México, lo trasladaron a una funeraria. Fui para poder hacerle una misa y despedirnos de cuerpo presente. Pregunté si podía verlo, la encargada de los preparativos me dijo que esperara y ella verificaría si eso era permitido. A los pocos minutos regresó, respiró y me informó que lo lamentaba, pero no se podía ver el cuerpo porque estaba algo irreconocible a causa del tiempo que tenía fallecido, por eso no era recomendable.

Dentro de mí quedé inconforme porque quería asegurarme que era él y que no era un error, pero me comentaron que por los registros de la cárcel tenían sus datos y sus huellas dactilares. Con eso verificaron su identidad.

Lloré mucho. A pesar de estar con Armando no podía disimular el dolor que sentía. No fue una persona cualquiera. No fue una persona que solo cruzó palabras conmigo. Si no fue el amor más grande que he tenido, un amor que no tuvo límites, demostrando su amor en cada instante a pesar de todo lo que pasamos, yo no quería que él terminara de esa manera. Pensé que él encontraría su camino o que encontraría una persona que lo quisiera. Siempre pensé que volvería a llamar, o que en cualquier momento iba a buscar a los niños, pero no fue así.

Sentí mi corazón con sentimientos encontrados, confusos. Me sentí culpable. Me preguntaba a mí misma si no me habría cansado de ayudarlo, si fue suficiente, si a lo mejor hubiese dado más sería diferente. No sabía qué pensar. Me dolió mucho su muerte. Yo no quería que él terminara de esa manera. Quería que volviera a ser él, esa persona alocada, risueña.

Me sentía muy culpable que quería regresar el tiempo. Pensaba que si hubiera terminado con él desde que nació mi niña nos habríamos evitado muchos problemas, porque desde que nació ella fue cuando cambió y probó las drogas. Él no se hubiera sentido presionado por dinero o por sacarnos adelante, no lo sé; no pensaba con claridad lo que decía. Solo fue un shock para mí; trataba de no llorar en frente de los niños ni de Armando; no quería hacerlo sentir mal, pero su muerte me causó mucho dolor y un vacío en mi corazón.

Era muy joven. Falleció el 22 de enero del 2019, un día después de su cumpleaños. Falleció solo, sin nadie a su alrededor, solo una persona que vio el accidente llamó a los paramédicos que fueran a su auxilio, pero ya era demasiado tarde.

No pensé que ese día saliendo de la cárcel sería el último día que te volvería a ver.

Dios escuchó tu oración. Vio el sufrimiento que tenías. Vino por ti para que tu alma al fin esté en paz.

EN TU MEMORIA

01/21/89 – 01/22/19

Dios miró hacia su jardín y encontró un espacio vacío.

Entonces Él vio hacia la tierra y vio tu cara cansada.

Él puso sus brazos alrededor de ti y te levantó para descansar.

El jardín de Dios debe de estar hermoso porque Él solo lleva lo mejor.

Él vio que el camino se puso duro y las montañas duras para subir. Entonces Él cerró tus ojos y murmuró:

"PAZ PARA TI"

Vas a casa. Es hora de descansar.

SÍNTESIS

Algunas circunstancias sacan lo mejor o lo peor de nosotros. Cada uno tiene una personalidad única en la existencia; esta personalidad puede verse alterada por diferentes causas, entre ellas una sustancia química. Esta puede despojar de todo a un individuo: de la dignidad, el valor, la autoestima. Puede reducir a alguien a lo más miserable. Manifestar el mismo infierno en la tierra.

Por eso, si nos descuidamos podemos entrar en una etapa de nuestras vidas que nos lleve al camino equivocado, aunque tengamos una vida estable, armoniosa; un trabajo próspero, una familia unida. Si no prestamos atención a nuestro entorno, sin darnos cuenta se entra a un círculo vicioso de falsedad. En un abrir y cerrar de ojos todo puede cambiar, con amistades de personas que influencian a sentir sensaciones nuevas, donde vuelves a sentirte joven, donde se puede dejar una vida tranquila sin emociones súbitas a un lado, y entrar en una montaña rusa emocional, donde la adrenalina, dopamina y cortisol tienen mayor protagonismo; donde el no saber decir un sí o un no definitivo puede llevar al abismo que conduce a la total destrucción.

Este libro enmarca la historia de la vida de Mauricio, un hombre joven, trabajador, con dos hijos. Sin pensarlo fue arrastrado por una sustancia. Comenzó con algo que parece inofensivo y terminó en las peores garras. Mauricio fue consumido por un abismo, junto con él arrastró parte de la vida de su familia. Dios no puede ser burlado: al final todos somos responsables de nuestros actos.

Si un esposo es infiel frecuentemente, es necesario pensar bien qué decisión tomar. A veces lo mejor es separarse. En mi caso debí haberlo dejado en ese momento cuando supe de su infidelidad, pero el amor que yo sentía por él era ciego: solo piensas en perdonar porque amas a la persona.

Sé que me volví una mujer tapete que él no valoró, pero

quien realmente no se valoró fui yo al ver lo mucho que valgo como mujer, como persona, que al haber tomado la decisión de no buscarlo más y haber aceptado que se fue de la casa desde antes, tal vez así habría batallado lo mismo para sacar a mis hijos adelante. Se hubiera evitado todo el daño que se hizo.

Se puede ser tonta al no dar importancia a las cosas que se observan. Jamás vi una piedra de cristal en mi casa. Nunca lo vi drogándose. Nunca tuve la certeza de que consumía, por eso no actúe antes; ¿cómo puedes regresar el tiempo y cambiar las cosas?

Aprendí de mala manera llevando a mis hijos a ese hoyo con el riesgo a perderlos. Aprendí a ser fuerte, aprendí a valorarme, aprendí que cada palabra que él me decía me hizo más fuerte; aprendí a darle importancia a lo que realmente vale, a no luchar por alguien que no me quiere; a fortalecer cada uno de mis sentidos. Aprendí a estar sola, a no depender de alguien para salir adelante.

Con este libro quise expresar que como yo hay muchas mujeres que sufren con sus esposos, novios, casos de violencia, de alcoholismo, de adicciones, infidelidades. Lamentablemente seguimos perdonando, dejando que nuestros esposos nos humillen sin merecerlo. Quise expresar que fui tonta por no pedir ayuda por miedo a perder a mis hijos. Fui tonta por aguantar hasta llegar a tenerle lástima. Fui tonta por no haber sido fuerte para haber tomado la decisión de haberlo sacado de nuestras vidas antes de arriesgar las nuestras. Nosotras tenemos la capacidad de salir adelante por los hijos. Desde que nacen nos llenan de fuerza para seguir adelante. Sé que me vi en un momento deprimida viendo al cielo, pensando cómo hacer, qué iba a pasar después, pero la tranquilidad y la paz que una tiene después de haber tomado la decisión de terminar con una relación tóxica, enfermando a todos tus seres queridos, no tiene comparación a estar preocupada todo el tiempo, a preguntarte "¿dónde estará?"; salir a buscarlo, ofrecerle ayuda y en vez de recibir una palabra atenta solo son maltratos; a luchar contra la corriente al no tener el apoyo de tu familia que solo te juzga sin tener el tiempo a preguntar o decir cómo puedo ayudarte. El ser esposa o madre de una persona con adicciones es lo más difícil; tenemos que abrir los ojos a tiempo, buscar ayuda antes que sea tarde. Cuando ya se hacen dependientes a la droga es muy difícil sacarlos de ahí. Llega el momento que te cansas de luchar, solo volteas a los lados y ves desilusiones, decepciones. Como esposa te das cuenta que tanto sacrificio que hiciste no valió la pena. Al final solo decidió abandonar a la familia para llegar al mundo de la loquera donde, si no quieres, no sales de ahí.

No están solas, hay personas que ofrecen ayuda para superar todo este camino. A mí me tocó pasar este trance sola, callar, levantar la cabeza y seguir. Ustedes pueden buscar personal capacitado para que las ayuden a sobrellevar el dolor, la tristeza, la decepción, porque quienes más sufrimos somos nosotras, los hijos y la familia.

Al final del camino la vida te puede sonreír de nuevo, poniendo nuevas oportunidades: un amor que te valore, tu esposo o hijo recuperado; dándole una segunda oportunidad a la vida. No des la espalda a las personas con adicciones, solo ayuda de la mejor manera sin poner en riesgo a tus seres queridos. Sé más inteligente. Toma un respiro, porque Dios no nos abandona.

Como adicto hay que reconocer que se tiene un problema, no hay que esperar a terminar solo en las calles sin que nadie se dé cuenta. No esperes a que sea demasiado tarde.

No están solas.

TU PERDÓN

Perdonar no cambiará tu pasado, pero sí cambiará tu futuro.

Quien sabe perdonar tiene en su poder el mayor juego de la partida.

Liberarnos de ataduras de sentimientos negativos, de situaciones del pasado que puedan lastimarnos una y otra vez, es lo que nos promete un sincero perdón.

Si no has perdonado, entonces una parte de tu energía, de tu vida interior está atrapada en el resentimiento. Esta energía vital atrapada te limita, te hace más lento, te frustra y hace que sea más difícil avanzar.

Aprender a perdonarse a sí mismo es de vital importancia también

UN REGALO PARA TI.

Su verdadero rostro

A veces no conoces el verdadero valor del momento.

Basta que se convierta en memoria.

Y quede impreso en el corazón.

Karina Rodríguez Mayorga - YouTube

Facebook – **Fragmentos de un Cristal**

Editorial JEL-Jóvenes Escritores Latinos

AGRADECIMIENTOS

Y

DEDICATORIA

Primeramente, quiero agradecer a Dios por darme la fortaleza de superar el pasado, ayudarme a salir de un camino tóxico y poder sacar a mis hijos adelante, darle gracias también por darnos una nueva oportunidad, guiar nuestros pasos y estar siempre a nuestro lado.

Agradezco a Dios por poner en nuestro camino a personas que nos dieron su apoyo. Agradezco a aquellas personas que nunca juzgaron mis actos, que creyeron en mi a pesar de mis malas decisiones.

Dedico este libro a mis hijos, gracias a ellos encontré una motivación para seguir adelante, a olvidar las tristezas, a ser fuerte ante las adversidades, a convertir ese dolor en fortaleza para continuar con nuestras vidas. A luchar por conseguir la paz y la tranquilidad que tanto me costó encontrar.

Mis hijos son lo mas bello que Dios me dió, sin ellos no habría podido escribir este libro donde quise compartir con ustedes experiencias que pasaron años atrás, dejando heridas profundas y que gracias a Dios sanaron y me encuentro en paz, sin rencor, quedando vivencias para contar y ayudar a otras personas que puedan tomar mejores decisiones a las que yo tomé.

Gracias a todos por leer mi libro.

CONTENIDO

91

Editores:

Mónica Andrea Campos Rivas

Gustavo Aristotomo Campos y Salamanca

Colaboradores:

Luis Manuel Villegas Bernache

José Luis García Guillermo

Made in the USA
Middletown, DE
29 August 2022

71585159R00053